C000000812

Tracce

MYRTA MERLINO

Donne che sfidano la tempesta

SOLFERINO

SOLFERINO

www.solferinolibri.it

© 2021 RCS MediaGroup S.p.A., Milano
Proprietà letteraria riservata

ISBN 978-88-282-0498-5
Prima edizione: ottobre 2021
Seconda edizione: novembre 2021

Donne che sfidano la tempesta

Quando la tempesta sarà finita, probabilmente non saprai neanche tu come hai fatto ad attraversarla e a uscirne vivo. Anzi, non sarai neanche sicuro se sia finita per davvero. Ma su un punto non c'è dubbio. Ed è che tu, uscito da quel vento, non sarai lo stesso che vi è entrato.

HARUKI MURAKAMI, *Kafka sulla spiaggia*

Introduzione
Il posto delle donne

Le parole sono importanti.

«Empowerment» femminile: oggi lo chiamano così. Rientra nelle agende europee di sviluppo, negli obiettivi del Millennio, nelle politiche pubbliche e private a ogni latitudine del pianeta, nei programmi delle aziende che vogliono fare la differenza. Un'espressione che ha una sua potenza semantica, direi anche fonetica.

La pronunci e ne avverti la forza.

Eppure, il fatto stesso che sentiamo, ancora oggi, l'urgenza epidermica di rimarcare il perimetro della nostra posizione nel mondo, di annunciare una presenza mai scontata, di conquistare lembi di potere perché nulla vada perduto, ci mette dentro la dimensione della lotta perpetua. Le donne. Perennemente inchiodate a quell'avverbio: «ancora». Ancora non siamo alla pari, ancora dobbiamo aggrapparci alle odiose quote rosa, ancora non siamo libere del tutto, ancora paghiamo il peso della storia scritta dagli uomini, ancora prestiamo la voce a chi non ha la forza di urlare, ancora facciamo notizia se otteniamo il posto che spettava a un maschio.

Ecco, il «posto». Qual è il posto che le donne occupano nella scacchiera della società?

Forse vale la pena ragionarci proprio oggi, proprio ora che la nostra vita è ancora inchiodata alla pandemia, ai suoi difficili lasciti che tutto cambia ma non noi.

In termini percentuali, giochiamo sempre di rincorsa.

Poche sono le donne leader, premier, presidenti a capo di nazioni, istituzioni, grandi aziende. Poche sono le donne nei ruoli decisionali di prestigio, nell'economia che conta, nella politica influente. Nel 2009 abbiamo letto del fallimento di una grande banca di investimento che ha trascinato in una crisi senza precedenti l'intero pianeta. Si chiamava Lehman Brothers, non Lehman Sisters, a riprova che muscoli e testosterone guidano da sempre la finanza mondiale. E questo nonostante le eccezioni alla regola che ci spingono a una riflessione.

Dal novembre 2005 Angela Merkel siede alla Cancelleria tedesca. Quante volte abbiamo visto i suoi tailleur, tutti uguali, ma sempre colorati, nelle foto di gruppo ai vertici europei. Facile distinguerla: era la «sola» in mezzo a una babele di cravatte e teste canute.

Nessuno può dubitare delle sue capacità politiche, della sua intelligenza pragmatica, della sua pervicacia teutonica. Si è presa la scena e il gusto di governarla. «Mi piace essere percepita come una donna, e come una sessantenne» ha detto a «Die Zeit» in occasione del congedo dalla presidenza del suo partito.

Ha inciso nella politica europea come nessuna prima, ha portato i numeri del suo Paese a un duraturo segno più, ha introdotto una bilancia nuova negli equilibri del G8. È rispettata, temuta, amata e detestata. Inamovibile, infrangibile, ha preparato l'ultima carta vincente: il sipario su se stessa. Ma soprattutto, col suo testamento politico, ha scelto di lasciare, ancora una volta, la sua impronta: Ursula von der Leyen è stata il suo trionfo. Ha fatto suo il monito della grande Madeleine Albright: «C'è un posto speciale all'inferno per le donne che non aiutano le altre donne». Ecco, lei all'inferno non vuole proprio andarci.

E veniamo a Ursula, già ministro della Difesa tedesca, esponente di spicco della Cdu, scala l'Europa e arriva alla presidenza della Commissione. Un accordo storico che fa il paio con un'altra nomina: Christine Lagarde, che si prende la guida della Bce, dopo la direzione del Fondo monetario internazionale.

Una donna è il leader più importante del vecchio continente, una donna è la prima nelle istituzioni d'Europa, una donna gestisce il più ambito portafoglio al mondo.

Il 2019, da queste parti, si chiude così: la tempesta perfetta. Finalmente qualcosa è cambiato.

Ma la storia segue direttrici imperscrutabili, sorprendenti, che passano sulla testa di noi che la viviamo. Come nella celebre scena dello skateboard del *Divo* di Sorrentino. Ve lo ricordate? Quello skateboard velocissimo, in soggettiva, che sfreccia nel Transatlantico di un Parlamento vecchio, stanco, inebetito e come una scheggia impazzita sfonda una grande vetrata e finisce in una drammatica esplosione cambiando per sempre il ritmo delle cose.

Ecco, così nel 2020 un virus, che arriva da Oriente, sembra sbriciolare ogni nostra certezza.

Troppo calda la ferita nella nostra memoria imperfetta: ci siamo scoperti fragili, impotenti, ininfluenti. Come cristallizzati nel punto esatto della vita in cui eravamo. Il virus è stato un fermo immagine: ognuno nel suo metro quadrato di spazio vitale, a combattere per la vita.

E, allora, cambia tutto: registro, sentimento, ragione.

Sento che essere una giornalista, in questa stagione di chiamata alla responsabilità, può fare la differenza: introdurre strumenti di racconto artigianali, cercare coriandoli di umanità e sottrarli all'oblio, guardare nelle pieghe delle notizie.

Scegliere la zattera delle emozioni per navigare la cronaca che si fa storia è per me una scelta di campo. Perché le emozioni non sono una scorciatoia, una banalizzazione, non sono marginali, non riguardano mondi minori, non ci diminuiscono. Al contrario, indagarle e scandagliarle come pure esporle e raccontarle inaugura un nuovo patto. Nei miei incontri, nelle interviste ho scelto il mio tono di voce, non vado in battaglia dissotterrando l'ascia di guerra, non giudico e non condanno. Non ho nulla da insegnare ma mi metto sempre ad altezza sguardo per capire.

Per restituire al pubblico pezzi di realtà, così come li vedo, così come li sento, con la verità che conosco. Insomma, c'è chi ama le grandi teorie, io preferisco le storie quotidiane che silenziosamente e tenacemente compongono la nostra vita.

Preferisco le persone che chiedono di lasciare una traccia, preferisco le donne che ci mettono la faccia e il cuore e, che siano casalinghe, cassiere, driver, senatrici o virologhe di fama, poco importa. Sono loro i pezzi del complicato puzzle che ci aiuta, a mente fresca, a ricostruire lo scenario scomposto e ricomposto della pandemia.

Ed è proprio una donna, ancora una volta, la bussola in un mare tempestoso: la prima, a suonare la sirena di allarme, è Ilaria Capua.

Medico veterinario di formazione, ricercatrice di fama internazionale, donna con la valigia del lungo viaggio, Ilaria è la prima a intuire e spiegare la portata della guerra del nostro tempo: «Questo patogeno dalle dimensioni infinitesimali ha messo l'umanità intera di fronte al disequilibrio creato nel rapporto con la natura, alla riscoperta della propria dimensione terrena e della caducità che le è connaturata, all'arbitrarietà dell'organizzazione sociale che si è data, delle sue scale di valori, del concetto stesso di salute pubblica».

Alla sua voce, che risuona forte e chiara, e che richiama alla ricerca e al bisogno della «cura», pratica così abbarbicata alla genetica femminile, fa da contraltare un coro per me inaspettato.

Le lunghe mattinate di diretta tv, che sono il mio pane quotidiano, mi regalano un'intuizione: travolta dalla folla di richieste di aiuto, di vicinanza, di condivisione, decido di aprire un canale diretto con i miei spettatori. La casella di posta, in pochi minuti, riceve centinaia di lettere. Poi migliaia. Poi decine di migliaia. È l'inizio di una narrazione nuova, collettiva, che domanda un «rammendo» di mutuo soccorso. *Dilloamyrta* diventa il mio specchio di rifrazione.

Potrei dire che lo faccio per loro, per dare voce a chi non ne ha. Ma non è del tutto vero. Lo faccio anche per me. Perché ho bisogno di parole. Ne ho sempre avuto molto bisogno. Fin da bambina ho capito che una parola non è solo una parola. Alcune sono piene e pesanti di una volontà di dire, di raccontare, di condividere, cariche di una storia, una vita, un'emozione. Ogni parola che arriva può rivelarci un segreto. Alcune rimangono con noi a lungo. Altre ci abbagliano come un lampo e poi spariscono. Ma tutte ci lasciano dentro qualcosa. Le vostre parole, le loro parole, le parole che le donne mi hanno scritto o detto in questi lunghi mesi, mi hanno segnata, illuminata e soprattutto abitano in me. Ve le restituisco a modo mio. Spero che vi porteranno per mano lungo sentieri di forza, coraggio, disperazione, rese, sconfitte, vittorie, amori e delusioni. Per continuare a camminare insieme. Un po' meno soli, un po' meno sole.

Qual è infatti il senso profondo del sentirsi sorelle se non avvertire l'urgenza delle battaglie delle altre come fossero le nostre più intime? Conoscere con esattezza il punto di rottura di una donna che non siamo noi, e navigarci intorno per non sprofondarci dentro. La sorellanza di questo tempo è fare un passo oltre il nostro giardino, capire che la generosità tra donne è contagiosa, ci spinge senza paura verso l'argilla ignota, nella consapevolezza che nessuna donna può essere lasciata indietro, di fianco, o al piano di sotto. Perché in definitiva la fragilità di una sarà la debolezza di tutte.

Ma torniamo a loro, alle tante lettere che ricevo (mi piace chiamarle ancora lettere anche se in gran parte arrivano ormai tramite mail). A scrivermi, neanche a dirlo, sono soprattutto le donne. Donne che si mettono a nudo senza riserve, donne alla finestra, donne che annaspano ma non si arrendono, donne che lasciano scivolare i sentimenti oltre lo schermo bianco del computer, donne capaci di grandi gesti di umanità e di generosità, donne capaci di tutto.

Gli uomini erano lì a chiedersi: «E ora, cosa succede?», le donne a ripetersi: «E ora, cosa faccio?».

Il virus ci inchioda a una riflessione profonda, è lo spartito di un suono che non si fa musica: il mantra «Ne usciremo migliori» naufraga in acque profonde.

Come ne siamo usciti, lo racconteranno i libri di storia. A noi resta il compito di interpretare la realtà mutevole e increspata delle cose che cambiano rapide. E se è vero che il cielo stellato resta sopra di noi e la legge morale dentro di noi, non posso sottrarmi a una lettura della realtà, che ripeto a me stessa dopo un lungo respiro.

Quello che, da donna, da madre, da giornalista, da innamorata cronica del mondo che mi circonda sento di dover intraprendere è un viaggio nelle voci che fanno da eco alla mia quotidiana immersione nella vita degli altri.

Attorno a noi donne forti conquistano ogni giorno un titolo: il volto fiero di Kamala Harris, prima donna vicepresidente degli Stati Uniti d'America; il sorriso tenace di Jacinda Ardern, primo ministro neozelandese, che ha portato il suo Paese, prima e meglio degli altri, fuori dall'incubo pandemico; la rivoluzione silenziosa in Bielorussa di Sviatlana Tsikhanouskaya che si batte contro il dispotismo di Lukashenko; l'ennesima resistenza al golpe birmano di Aung San Suu Kyi, dopo decenni di rivoluzioni auspicate.

Nel loro sguardo si riflette quello delle donne che incontro ogni giorno. Lavoratrici impoverite, infermiere instancabili, madri avvolte dalla colpa che altri infliggono loro, figlie perdute, nonne dimenticate.

E mentre dal mondo arrivano continue sollecitazioni, spinte, fermenti, al nostro pensiero critico, nel nostro Paese le donne fanno notizia solo per «sottrazione». E il numero dei loro posti di lavoro persi si trasforma in una Caporetto annunciata. Il virus ha tagliato fuori le donne, allargando le sacche di povertà ed emarginazione e allontanando noi tutte dagli obiettivi di parità.

Ogni storia, dunque, merita e pretende il suo spazio di racconto.

Donne che combattono. Donne che resistono. Eppure, sentono che ancora una volta saranno loro che pagheranno il prezzo più alto.

E allora è il tempo.

È il tempo di lanciare cuore e cervello oltre l'ostacolo dell'indifferenza, di misurare l'altezza delle barriere per prendere bene la rincorsa, di capire che non possiamo sprecare l'istanza di rigenerazione che il Covid ci ha spillato addosso.

Vi accompagno dentro un mondo fatto di segni, di silenzi e di parole. Troverete l'amore e la forza, la solitudine e la disperazione, l'orgoglio e la speranza. Io dico che sono dalla parte giusta, quella delle donne.

1
Sopravvivere

La farfalla nella notte del Covid

Annalisa

«Sentinella, a che punto è la notte?» Come il profeta biblico, anche noi ci siamo posti questa domanda per mesi. Fin dall'inizio di questa pandemia, abbiamo guardato ai dati, alle notizie, alla scienza sperando che ci dicessero quando il lungo inverno del Covid sarebbe finalmente finito. Solo negli ultimi mesi il vaccino ci ha ridato la speranza e abbiamo iniziato a vedere una luce che giorno dopo giorno sembra più forte. Ma quanto dolore, quanta sofferenza, quanta angoscia!

Eppure c'è un momento peggiore della notte. Ed è stare nella notte senza saperlo. Essere ciechi e non vedere il baratro nel quale siamo caduti. A inizio dello scorso anno eravamo così. Vorrei un sondaggio che chiedesse chi a gennaio del 2020 poteva immaginare cosa sarebbe successo di noi. Credo in pochi, molto pochi. È cominciato tutto come in un film. Una strana influenza che stava mettendo in ginocchio la Cina. Sarà anche vicina, ma allora ci sembrava molto lontana. Da noi si parlava d'altro. Di crisi di governo, di Sanremo, di tante cose che ora ci sembrano stupidissime. Poi la sera del 20 febbraio una notizia che ci ha colpito così, come un fulmine a ciel sereno. Perché, diciamolo, quasi tutti pensavamo che il virus non sarebbe arrivato. E se anche fosse arrivato l'avremmo superato come un'influenza o poco più (non è così che dicevamo tutti all'inizio, per rassicurarci?). E invece, mentre noi pensavamo alla primavera che arrivava e a Bugo e Morgan, il paziente 1, Mattia, manifestava degli strani sintomi già dal 15 febbraio e il 18 si presentava al pronto soccorso di Codogno. Era un ragazzone di trentotto anni giovane e forte. Vai a pensare. Lo rimandano a casa, passerà tutto con due aspirine. E invece non passava niente, anzi, peggiorava. E così eccola, la prima donna della nostra storia.

Si chiama Annalisa Malara, un'anestesista dell'ospedale di Cremona in servizio all'ospedale di Codogno in quei giorni fatali. Tanto studio, tantissimo lavoro, poche soddisfazioni, ma grinta da vendere. Si fa una domanda semplicissima. Così semplice che nessuno se l'era ancora fatta: «Come mai la polmonite di questo paziente non risponde alle cure?». C'era qualcosa che non tornava in questo strano malato con una polmonite bilaterale nonostante un fisico di ferro. «Non è possibile» si dice Annalisa. Ed è a quel punto che il virus fa un passo falso. Come un assassino imprendibile, che però ha un punto debole. E Annalisa come uno Sherlock Holmes in camice bianco capisce tutto, o almeno intuisce tutto. I colleghi non ci credono. «Ho dovuto chiedere l'autorizzazione all'azienda sanitaria. I protocolli italiani non lo giustificavano. Mi è stato detto che se lo ritenevo necessario e me ne assumevo la responsabilità, potevo farlo.» E così ci vuole tutto il coraggio di questa anestesista che non si arrende a lasciar correre per scoprire che no, Mattia non era un paziente come gli altri. Annalisa chiede un tampone quando ancora quasi nessuno sapeva cosa volesse dire e quando al ministero imponevano di farlo solo a chi rientrava dalla Cina. Mattia, invece, la Cina non l'aveva mai vista neanche col binocolo. Ma questo è il mondo globale e globalizzato in cui ormai viviamo da anni. Si chiama Butterfly Effect: «Il battito d'ali di una farfalla è in grado di provocare un uragano dall'altra parte del mondo». Solo che in questo caso non è una farfalla a battere le sue ali, ma un meno simpatico pipistrello cinese. E allora? Allora non importa, facciamo un tampone, urla Annalisa a medici e infermieri che un tampone Covid non sanno neanche che forma abbia. Intanto, chiede e ottiene che lei e i suoi colleghi possano indossare le protezioni minime anticontagio che ancora nessuno in Italia usa. E così salva la vita a tante, tante persone.

L'esame di Mattia viene svolto nella massima sicurezza (magari fosse stato sempre così!). Poi l'esito del test, incredibile e spaventoso. Il paziente è positivo al Covid. È l'inizio di un incubo. Una notizia così scioccante che a Roma non ci vogliono credere. Inviano addirittura i Nas per un controllo. «Mi sentivo responsabile, ma anche sicura di quello che avevo fatto.» Infatti, non c'era, purtroppo, niente di sbagliato. Al contrario di quello che avevamo pensato, il virus era già a casa nostra, fra le nostre mura. La Cina non c'entrava più, ora eravamo noi in prima linea. Una scoperta dolorosa, che ha segnato il nostro Paese. Ma Annalisa la vogliamo e la dobbiamo comunque ringraziare. Perché ogni giorno guadagnato da quella scoperta ha significato centinaia di malati e morti in meno in Italia, e forse in Europa. La logica è semplice. «Se una persona sta male, una causa c'è. Se le cure note non funzionano, devi tentare quelle che non conosci. Il Covid non aveva messo in conto che l'essere umano, pur di sopravvivere, non si rassegna.» E Annalisa non s'è rassegnata. Ha inventato una bella similitudine: «Mi sono mossa come un giocatore di football americano». Guardava sempre fissa la meta, Annalisa, anche quando da tutte le parti provavano a fermarla. Intoppi burocratici, tamponi che non arrivavano, scetticismo dei colleghi. Ma lei niente. Sempre avanti. Alla fine alla meta c'è arrivata e quando ha fatto il suo touchdown in tanti le hanno dovuto dare ragione. Lei, che in fondo era «solo» un'anestesista, un ruolo apparentemente minore rispetto a quello di immunologi, pneumologi, genetisti, primari, direttori di ospedale. Poteva starsene ferma e buona, chi lo avrebbe mai immaginato del resto il Covid a Codogno. Invece è andata avanti con la sua meta sempre davanti agli occhi. Ora che è diventata Cavaliere del lavoro, prontamente insignita da Mattarella, ora che ha scritto la sua storia in un libro, vuole tornare a correre sul campo di gioco della salute solo per i suoi pazienti. Niente telecamere, niente interviste. Solo il proprio lavoro. Che ci siano donne così, in silenzio dietro le quinte di questo Paese, mi mette un senso di tranquillità e di speranza.

Morire due volte

Angela

Quella semplice intuizione di Annalisa avrebbe cambiato per sempre le nostre vite. A tutti noi che abbiamo passato settimane, mesi, con restrizioni di ogni genere, senza poter vedere amici, parenti, fidanzati. Ma soprattutto a coloro che nell'incubo del Covid ci sono entrati dalla porta principale. Quella della malattia. Tantissime le persone, quasi 130mila, che oggi non ci sono più. E attorno a loro moltissime altre persone che hanno sofferto vicino ai loro cari.

«Quando un uomo muore, un capitolo non viene strappato da un libro, ma viene tradotto in una lingua migliore.» Questa frase di John Donne mi ronza in testa quando penso ad Angela.

La sua lettera ha un oggetto dal tono glaciale: «Testimonianza di un decesso Covid in Rsa».

Lo leggo e sento come un colpo al cuore.

Sapevo bene che la vita di Angela, che ha bussato alla mia casella di posta timidamente, quasi chiedendo il permesso, mi avrebbe portata dentro un mondo abitato da colpe e fantasmi.

«Cara Myrta, permettimi di rivolgermi a te usando il "tu" confidenziale che nulla toglie alla immensa stima che ho di te per il servizio che rendi e che reputo socialmente di grande utilità. Ti scrivo perché la mia vuole essere l'ennesima voce e goccia dell'oceano dei "toccati dall'onda del Covid". Non so esattamente cosa voglio, ma sicuramente so che ogni storia può essere utile perché si faccia luce sulle sommerse attività delle Rsa che non hanno protetto i nostri affetti più autentici. Il 14 aprile è mancata la mia mamma e la causa finale del decesso è stata "insufficienza respiratoria in paziente Covid" che ha causato l'arresto cardiaco finale.»

Angela parla da orfana, quando mi scrive. Avvolta da quello stato di inerzia, abbandono, scoramento e sofferenza che solo chi ha perso una madre amata può comprendere nella sua radice profonda.

Io conosco quel fiato sospeso, la luce spenta della colpa e le parole che, pur scorrendo a fiumi, sembrano non bastare mai.

«La mia mamma (ottantasei anni) era stata portata, mio malgrado, in una Rsa (quella che avevo ritenuto la più idonea ed efficiente), perché a seguito di un ematoma cerebrale aveva bisogno di riabilitazione fisica e un continuo monitoraggio di condizioni cliniche. Poi a fine febbraio, cioè dopo circa quindici giorni dal suo ingresso in struttura, è arrivato il "mostro" e le famiglie sono state allontanate. Fintanto che potevo entrare, mi recavo da lei puntualmente due volte al giorno per coccolarla, per sostenerla nell'alimentazione, per voltarla nel letto, temendo la comparsa delle dolorose piaghe da decubito... cosicché aveva iniziato persino la terapia riabilitativa... poi un giorno riceviamo un avviso in cui veniamo avvertiti che per proteggere i pazienti erano interdetti tutti i contatti personali... semmai "vi faremo qualche videochiamata per farvi vedere il paziente"... così dissero.»

È accaduto esattamente questo: come in una recita a soggetto, l'allontanamento coatto è stato calato sul palcoscenico della vita messa in pericolo. Sono arrivati i divieti, gli incontri mediati dallo schermo, l'avanzamento della malattia nella solitudine più dura.

«Da quel giorno (i primi di marzo) non ho più visto la mia mamma e io, con le mie figlie che vivono chi a Roma per motivi di studio e chi a Londra per perfezionare l'inglese, abbiamo iniziato un lungo periodo di tormento fatto di tentativi di comunicare con la nonna, di cercare di parlarle e di capire come stavano andando le sue cure. Ogni volta che riuscivamo a videochiamarla purtroppo verificavamo che la nonna peggiorava perché ci dicevano che aveva iniziato a non volersi nutrire e dunque introducevano l'alimentazione artificiale con il sondino gastrico. "Il personale non ha tempo di imboccarla" mi dicevano... poi arrivò un sondino sottocutaneo per veicolare i farmaci... e piano piano precipitammo nell'abisso. Proposi di portarla in ospedale, mi dissero che poteva infettarsi, e mi fidai. Naturalmente pensavo ai tantissimi ospiti indifesi e nelle stesse condizioni, trascurati e lasciati al loro destino, poco nutriti. Perché, Myrta, in una Rsa la terapia più efficace per quei pazienti è un sorriso, uno stimolo a farli parlare, dar loro da bere, spiegare che la famiglia non li ha abbandonati... le poche volte che sono riuscita a videochiamarla mi sono molto commossa perché la vedevo come mai avrei voluto mia madre... Le chiedevo: "Mamma come stai?". Lei biascicava e mi rispondeva con un filo di voce: "Benino"... e io mi sciolievo in un pianto... Volevo portarla a casa... ma non si poteva più. Finché il 25 marzo mi avvertono che ha problemi respiratori e la broncopolmonite. Chiedo se avessero provveduto con urgenza a un tampone. Mi rispondono dicendo che la Asl non sarebbe intervenuta in mancanza di febbre, perché la temperatura iniziale era un ininfluente 37,1-37,3. A quel punto mi attacco al telefono anche io, provo da casa a contattare tutti i numeri... nessuno ha mai risposto alle mie tante telefonate... intanto mi dicevano che mia madre migliorava e io riacquistavo fiducia. Arriviamo all'8 aprile e mi dicono che la mamma aveva avuto un brusco peggioramento e poiché la febbre era arrivata a 38,8 le avrebbero fatto immediatamente il tampone. La mattina del 9 aprile ricevo la comunicazione della Rsa sul trasferimento di mia madre in ospedale perché "positiva al Covid".

Ho pensato, almeno in ospedale è monitorata costantemente e avrà tutte le cure necessarie. Da quel giorno è saltato fuori che erano infetti altri pazienti, ma anche alcuni operatori. In ospedale la mia mamma è resistita solo quattro giorni. La mattina del quinto giorno il suo cuore ha smesso di battere, lasciando me, i miei figli, mio fratello, i suoi nipoti in preda allo sconforto più profondo.»

Se fosse un film, la storia di Angela, farebbe piangere del pianto dei vinti. Ma poiché è la dura realtà, le lacrime sono un impasto salmastro di scorie e detriti. Di errori umani e negligenze diaboliche.

«Mi ripetevo: come gestisco ora questa cosa? Chi lo dice alle mie ragazze che la nonna se n'è andata? Poi ho chiamato le pompe funebri e ho pregato di infilare nella bara di mia madre il vestito che lei accuratamente aveva selezionato per il giorno del suo addio... Il giorno del suo "finto funerale" le ho chiesto scusa piangendo se non era stato come avrebbe voluto, se non avevo potuto mettere sul suo letto la coperta che mi aveva indicato, quella di seta rosa che era stata della sua mamma. Le ho chiesto scusa se non sono stata con lei a stringerle la mano fino alla fine, quando più ne aveva bisogno.»

Uno strazio senza fine, un senso di colpa che non è solo di Angela. È mio. È di tutti. Perché qualcosa non ha funzionato, perché non abbiamo saputo difendere i più fragili. Troppe domande sono rimaste senza risposta. Domande che, nonostante le tante indagini in corso (dai Nas alla magistratura ordinaria), non troveranno mai, forse, una risposta definitiva.

«Credo che l'interesse economico nelle Rsa prevalga su quello sanitario, che temano che si sappia all'esterno che non sono riusciti ad arginare l'ingresso del "mostro", che non ci sia la giusta cura del paziente, credo che il personale dentro le Rsa debba essere più qualificato e che il criterio di selezione debba essere basato sulla competenza. Credo che le famiglie dei pazienti siano una risorsa preziosa per queste strutture perché, fintanto che ci è consentito esserci, i nostri cari riescono a sopravvivere; perché solo un figlio, imboccando un genitore durante i pasti, anche se impiega un'ora, gli regala un giorno in più di vita. Perché solo un figlio può accordare a una madre la dignità di ciò che era e può restituire quello che ha ricevuto. Non so cosa mi aspetto, Myrta, ma so che l'aver parlato con te è servito perché sentivo che la mia mamma meritava questa attenzione... Era stata una grande lavoratrice, una brava mamma e una brava nonna. Con infinita stima.
Una figlia
Angela»

Angela si firma così, semplicemente: «una figlia».
È il secondo pugno nello stomaco, perché quella

condizione esistenziale racchiusa nella parola «figlia» ci rende tutti uguali, capaci di guardarci negli occhi senza abbassare lo sguardo.

Chi è morto in una Rsa, e sono tanti, in poche ore, senza quel calore umano che rende anche l'agonia una esperienza di catarsi familiare, ha lasciato un'orma di tormento dentro i «sopravvissuti».

Mesi dopo, ho cercato di nuovo Angela. La mia mente era più sgombra dalle emozioni del momento. Marzo e aprile 2020 sono stati come una sciabolata, un pugno in piena faccia all'improvviso. I morti che si accumulavano, le bare di Bergamo, il pianto di tutta l'Italia. Poi la prima ondata è passata e abbiamo cominciato a ragionare. Forse anche troppo. Per chi ha subìto un lutto, però, quei mesi non finiranno mai veramente.

«Oggi sarebbe stato il compleanno della mia mamma. Il dolore è ancora troppo. Ho sessant'anni, mamma ne aveva ottantasei. Il contesto in cui se ne è andata mi ha dilaniata, nonostante la sua età. Negli ultimi vent'anni della sua vita mi ero presa cura di lei. Una storia come tante. Ma non certo una storia di disamore. Finché è arrivato il mostro. L'idea che io non abbia mai potuto sostenerla anche solo con uno sguardo mi uccide. Ci stiamo quasi abituando a questo dolore, perché l'Italia è piena di persone che hanno pagato un tributo a questa malattia. Mi sono fatta fare il diario della degenza e l'ho consegnato al legale. Ci siamo accorti che dalla stabilità, fino a quando c'ero io, tutto è cambiato da un giorno all'altro. Non c'è stata cura. Rivivo come un incubo le nostre videochiamate. Una videochiamata. Le dicevo: "Mamma, mamma, sono Angela, come stai? Mi riconosci?" e lei poverina non voleva darmi un dolore e così con i suoi occhi grandi mi diceva: "Benino", ma io capivo che si sentiva abbandonata, quasi come se desiderasse morire. Io sono proprio sola nella vita, sono separata da tantissimi anni. Oramai mi sono fortificata e so di non poter contare su nessuno. Io e mamma vivevamo in simbiosi, mi arrabbiavo anche eh... lei era ancora la mia valvola di sfogo. E viceversa. Oggi è difficile abituarmi a stare senza di lei.»

La verità ha sempre mille voci, è una polifonia che rischia la stonatura, che si misura con l'imperfezione. E alcune verità finiscono nelle aule di tribunale, quando necessario.

Ma chi fa il mio mestiere sa che una notizia ha un valore che non può essere silenziato. La condizione di Angela ha accomunato centinaia, migliaia di famiglie di questo Paese e dietro ogni morte c'è una storia di sofferenza che chiede giustizia. I numeri sono ancora incerti. E già questo è uno scandalo. Abbiamo una cifra, piccola, limitata, purtroppo per difetto. 9154 morti nelle Residenze sanitarie assistenziali fra il 1° febbraio e il 5 maggio 2020. Di questi si stima che oltre il 40 per cento siano morti dovute al Covid. Si stima perché appunto fino a marzo non c'erano letteralmente gli strumenti per diagnosticarne la presenza. Oltre

3000 morti di Covid con percentuali altissime in Lombardia, dove il tasso di mortalità nelle residenze è stato oltre il 12 per cento. Vuol dire che oltre un degente su dieci è morto a causa del Covid. Centinaia di uomini e donne portate via dal virus ma anche dalla malasanità. La verità, speriamo, si farà strada da sola. Ed è una strada lunga, che parte da lontano. Un recente report dell'Istituto superiore di sanità (non di un giornalista in cerca di notorietà) punta il dito sulle carenze storiche di quelle strutture, quelle che per anni non abbiamo voluto vedere: la mancanza di personale, la difficoltà nel trasferimento dei residenti in ospedale o in altra struttura o nell'isolamento, la carenza dei dispositivi di protezione individuale (Dpi), cioè delle mascherine, dei camici, dei guanti. Tutte cose che in teoria dovevano già essere di uso comune in questi luoghi di cura che si sono trasformati in micidiali spazi di contagio. Sempre l'Iss ci racconta che il 60 per cento delle Rsa non aveva formato il proprio personale a una situazione di emergenza virale. E questo ci dice tutto, o quasi.

A me resta il compito, al di là delle verità giudiziarie che si spera emergeranno presto nei processi, di riscattare la memoria di chi non ha la voce forte, di chi non grida, ma ha molto da dire.

Angela, che non avrebbe mai sbattuto il suo dolore in prima pagina, mi ha aperto il cuore mediata da uno schermo.

Cosa ricorderemo di questo anno lo racconteranno i libri di storia, supportati dalle verità del tempo.

Ma quando la ferita è ancora aperta, la cronaca ci restituisce brandelli di vite, nelle quali trovare similitudini e dissomiglianze.

Avrei voluto abbracciare Angela, e ho voglia di farlo. Ancora oggi, che toccarsi è vietato, che una mano porta contagio, che restano soltanto le espressioni degli occhi a fare da conforto sulle spalle senza pacche.

Angela, da figlia, io ti capisco.

E ti dico grazie, perché prendersi cura è un atto d'amore. E l'amore salva chi resta.

Perché chi resta scrive quel famoso «capitolo migliore».

Lo fa con un silenzioso accumulo quotidiano di piccole tenerezze condivise, di mani che si intrecciano, di sguardi lievi e trasparenti che si incrociano per dare forza e coraggio.

Sguardi che, talvolta, passano addirittura attraverso un vetro, mentre aspetti la fine di una trasfusione; sguardi che si appannano d'improvviso dinanzi allo specchio sgangherato di un bagno di ospedale, dopo che le hai detto che il medico è ottimista, ma sai invece che quella ascoltata con le tue orecchie è una sentenza di morte.

E allora asciughi le tue quattro lacrime e le dici che ora si va insieme a comprare dei bei fiori e si torna a casa a godersi i colori.

Le dici: «Noi siamo due combattenti, non preoccuparti, mamma, non ci ferma nessuno».

E poi leggi per lei i libri di sempre, le fai ascoltare *Just Like a Woman* a tutto volume, proprio in quella mattina di sole in cui per la prima volta lei ti risponde che, no, non ha voglia più di mettersi il rossetto. «Oggi non ce la faccio, sono troppo debole.»

E la tua mente ricorda solo quel rossetto rosso visto sempre e comunque, anche nei giorni in cui avresti desiderato una madre come le altre, coi capelli tirati su, che cucina e bada alla spesa e non ti costringe alle montagne russe della sua vita.

E capisci, all'improvviso, quanto fortunata sei stata ad avere avuto quella madre irregolare, che ti ha allevata alla libertà e alla gioia di vivere.

E capisci che devi dirglielo subito, che si è fatto impellente parlare di voi, e le parole prendono forma come se non ci fosse un domani.

E poi continui a chiederti perché? Perché lei? E soprattutto, questa è la verità, perché io? Poi piano piano, notte dopo notte, alba dopo alba, elabori. E ti viene in mente una frase bellissima. Alla stupida domanda «Perché io?», l'universo si prende a malapena il disturbo di replicare: perché no?

Ed è proprio così. Non contano le ragioni. Conta cosa te ne fai tu delle ragioni. Conta che ci sono battaglie che hai perso rovinosamente. Come quella per salvarle la vita. Ma sai che il solo fatto di averla combattuta valorosamente quella battaglia ti ha salvato la vita.

E, senza saperlo, stai scrivendo quel capitolo silenzioso e magico, e imperdibile, che la porterà dall'altra parte. E che ti lascerà svuotata.

Con un grande buco nero in fondo al cuore.

Ma un giorno, da quel buco che sembra impossibile da rattoppare, verrà fuori la sua voce. Così simile alla tua, forse troppo.

E capisci che quel buco è il grande regalo che lei ha lasciato per te.

Che ti appartiene in eterno.

Questa è la mia storia.

A differenza di Angela, ho potuto accarezzare le dita di mia madre fino alla fine, ammesso che una fine ci sia.

La morte ci accomuna, ci rende fragili, ma simili.

Io conosco quel dolore insondabile e so che può essere racchiuso dentro una pagina. Quella pagina va scritta. Assolutamente. E so che Angela quel capitolo lo cova ancora dentro di sé. Che ha un bisogno disperato di scrivere il finale del grande libro della vita. E oggi piango per lei.

Lo specchio infranto

Jessica e Iris

«Sorellanza.» Suona strana questa parola, quasi buf-
fa. Fino a qualche anno fa sembrava la brutta copia
del suo corrispondente più famoso: «fratellanza».
Quando dici «fratellanza» ti vengono in mente immagini roboanti, piene di pathos. Gente che si stringe insieme, che si dà la mano, amore fra i popoli, l'inno alla gioia, *Imagine* di John Lennon. «Sorellanza» sembra
avere un tono più dimesso, più ristretto. Eppure vuol
dire tante cose, implica un mondo. Sorellanza è la solidarietà fra le donne, quella che troppo spesso manca, ma che quando arriva è come una scintilla di luce.
Supera ogni cosa, ogni buio, ogni timore. Sorellanza
è anche l'amore fra sorelle. Sorelle vere, quelle che sono cresciute insieme, che hanno condiviso la famiglia
d'origine, i momenti belli come quelli brutti.

Questa sorellanza, intima e familiare, io la conosco
bene. So cosa vuol dire avere una sorella, crescere assie-
me. So cosa vuol dire la differenza d'età, quanto pesa

una sorella maggiore, come modello, come conforto. A volte è un caposaldo, uno scoglio a cui aggrapparsi nella tempesta che può rivelarsi anche più forte di un padre e di una madre. La sorellanza è eterna. E quando penso che questo legame, più tenace di un filo d'acciaio, si può spezzare in un attimo, mi vengono i brividi. Così ho fatto fatica a digerire la sofferenza di Iris quando mi ha raccontato della sorella che è stata portata via dal Covid. La intuisco con orrore quando a un certo punto la voce le si rompe e non ce la fa più. Si sente lo smarrimento di essere soli nella tempesta e le lacrime sono come le gocce del mare che ci avvolge, ci annega, perché ormai siamo soli, senza più una roccia cui approdare.

Ma partiamo dall'inizio per capire questa storia che ancora mi commuove a distanza di mesi.

Dai primi segnali della pandemia, quando eravamo davvero tutti un po' soli, senza bussola. A gennaio 2020, eravamo convinti che il Covid fosse solo roba buona per i giornali e vivevamo le nostre vite senza troppe paure. E invece la morte ce l'avevamo tutta intorno, senza saperlo. In certe parti più che altrove. Oggi possiamo dire di conoscere molto di più il virus: ci sono i vaccini, ci sono le protezioni, sappiamo come e cosa fare. Ma a marzo dello scorso anno poteva capitare di ritrovarti in mezzo alla tragedia da un giorno all'altro, senza neanche capire cosa davvero stesse succedendo. Così è stato in Lombardia, dove intere città, interi paesi si sono scoperti nel mezzo di uno tsunami, colpiti da un nemico invisibile che non conoscevano e che non avevano i mezzi per combattere. I nomi li ricordiamo, sono tristemente balzati all'onore delle cronache: Alzano, Nembro, Bergamo, Brescia. I risultati tragici li abbiamo tutti in mente: quella notte in cui le bare di Bergamo sono passate davanti alle telecamere e ai nostri occhi attoniti dentro i grandi camion militari. Corteo terribile, manifesto materiale di un dramma vissuto da una parte vivissima della nostra Italia.

Iris e Jessica, per esempio, erano due sorelle come tante. Due interpreti della «sorellanza». Sempre unite, sempre vicine. Due esistenze vissute per la maggior parte del tempo a Pedrengo, un paesino di 6000 anime vicino al fiume Serio. Jessica, la più grande, quarantatré anni, un marito, due figli amatissimi di tredici e sedici anni, e Iris, più piccola di sei anni, con un'adorazione per la sorella maggiore. «Quella sorella bellissima» mi dice «sempre in forma nonostante le gravidanze.» Quella sorella con una famiglia felice che Iris sentiva anche un po' sua. Una vita serena.

Ma lì fuori c'era un nemico invisibile, cattivissimo, subdolo: il Covid, che, in quei primi giorni di marzo, nessuno ancora sapeva cosa fosse, come si fermasse, come si curasse. In molti, anche sui giornali, dicevano che non c'era da averne paura, che uccideva solo i più vecchi, che era poco più di un'influenza.

«Jessica era giovane, sanissima, non fumava e non aveva malattie pregresse.» Le parole di Iris risuonano dentro del dolore peggiore, quello della perdita inaspettata: la morte di qualcuno che si pensava immor-

tale. È uno specchio riflesso la sorellanza, c'è la parte
forte e c'è la parte debole, e quest'ultima non pensa
mai che possa succedere qualcosa all'altra, che la roccia possa affondare prima del naufrago.

È iniziato tutto a fine febbraio. Erano tanti allora,
politici, giornalisti, amministratori, che invitavano a
non fermarsi. Le parole hanno un peso e quando dici
che non c'è da spaventarsi in una delle aree più ricche
e laboriose del Paese, la gente ci crede e non si ferma.
E Jessica come tanti altri non si è fermata.

«Un po' di stanchezza, un fastidio fra collo e spal-
la. Era il 29 febbraio, eravamo a cena insieme. Sembravano i classici dolorini influenzali. Tornata a casa
si era misurata la febbre e c'era, 38.»

Mentre parla Iris ricorda, rivive, è come se cammi-
nasse sui vetri rotti di una memoria che le lacera il
cuore.

E mi riporta a quando, solo un anno e mezzo fa,
avremmo tutti preso quei sintomi con un sorriso. L'influenza, il grande tranello di quel periodo che ha fatto
sottovalutare a molti la situazione. E la cosa più brutta è che all'inizio per Jessica è stato proprio così. «La
febbre era alta, ma la tachipirina aveva fatto il suo lavoro e Jessica sembrava essersi ripresa nei giorni successivi.» Gli occhi di Iris paiono dentro una macchina
del tempo, vanno indietro a ripercorrere ciò che è accaduto, si riempiono della stessa speranza di allora.

«Lunedì, inizia a sentire dolori sempre più forti al
petto. Al lato sinistro. Io, che sono una tabagista (al
contrario di lei) e ci ero passata attraverso bronchiti

e tossi, le dico: "Vai a fare le lastre che può essere polmonite".»

Iris è davvero una parte di Jessica, sentendola parlare ti sembra di avere di fronte la metà di un intero. Ogni
passo della storia è un passo a due. «Va all'ospedale,
aspetta oltre un'ora con una mascherina di fortuna e si
scopre che c'è un inizio di polmonite con versamento.
Le viene prescritto un antibiotico. Cominciano le cure
e sembra che la situazione vada pian piano miglioran-
do, tanto che riesce a fare un bagno e altre piccole cose.» Sabato 7 marzo, la doccia fredda: torna la febbre.

Lunedì arriva il medico di base. Inutile dire quanto
pericoloso sia stato il lavoro a volte a mani nude senza protezione dei medici di famiglia. Inutile ricordare
quanti di questi medici si sono ammalati e hanno perso la loro battaglia col Covid. Ma allora, lo ripeto, si
brancolava nel buio.

«Mi dice che, qualora fosse peggiorata, avrebbe dovuto chiamare il 112. Ma, ahimè, non c'è più tempo.
La mattina dopo tutto precipita. Jessica non si sveglia
più: già da una settimana dorme isolata, come consigliato dai medici, ma adesso non risponde più ai ri-
chiami delle due amatissime figlie.»

Percepisco il dolore fisico di Iris, è come se raccon-
tasse di un'amputazione, di qualcosa che, pur strappato via, ancora sanguina. La sua emozione mi attra-
versa il respiro. Nel mio studio televisivo l'aria si
ferma, tutto resta sospeso. Sento ancora sulla pelle lo
stupore per quella «sorellona» bella, forte, amata, riuscita, che non fumava, non beveva, era sempre atten-

ta al cibo e all'esercizio fisico e che una mattina di marzo si ritrova senza fiato.

«L'ambulanza arriva in fretta, dopo quindici minuti. L'ossigenazione del sangue è al 12 per cento, quando sotto i 90 (su 100) è considerata insufficiente.» Iris è con lei nonostante i rischi. Si intuisce che l'avrebbe seguita ovunque. «Ha aperto gli occhi, ma sembrava altrove. Arrivata all'Ospedale Papa Giovanni, le hanno rifatto le lastre e la polmonite era diversa da quella di una settimana prima. Le hanno anche fatto il tampone: era il Covid.»

È la stessa polmonite o una diversa? Dove e quando lo ha preso il Covid Jessica? Sono domande cui ancora oggi, a quasi un anno e mezzo di distanza, non riusciamo a rispondere. Sono domande che frullano senza posa e senza pace nella testa di Iris.

La febbre resta alta: viene sedata e intubata. Nei giorni successivi sembra arrivare un lieve miglioramento, ma poi il quadro clinico precipita e, alle 11.20 di giovedì 10 marzo, Jessica muore.

«La donna più sana del mondo. Mai una sigaretta, jogging, dieta equilibrata.» I dati si mescolano ai ricordi per Iris che mentre parla è sempre sul punto di cedere e scoppiare a piangere.

Il momento più terribile per chi resta è il dopo. Sempre. Ma a Bergamo a marzo del 2020 un po' di più. I parenti, anche i più stretti, non possono dare l'ultimo saluto, i funerali sono vietati. Pietà l'è morta, mi viene da pensare. Capisco benissimo i protocolli da rispettare e tutto il resto. Ma quello che gli uomini e le donne hanno sofferto è stato davvero un inferno in terra. Iris è rimasta senza la sua roccia, senza il suo approdo.

Edith Wharton diceva che ci sono due modi di diffondere luce: essere la candela oppure essere lo specchio che la riflette.

Ecco, Iris era sempre stata lo specchio. Ora deve iniziare una vita nuova, una vita in mare aperto, senza la sua candela a illuminarle il cammino. Ma, ricorda lei, bisogna essere forti, bisogna parlare con i nipoti, dire loro che hanno perso la mamma adorata in un modo così assurdo. In venti giorni e senza un perché.

«Loro sono stati bravissimi, hanno sempre saputo tutto. La verità è che mia sorella – che è stata anche la mia migliore amica – era una mamma perfetta, tuttofare. Quel giorno l'intero paese l'ha pianta, il parroco ha suonato le campane a lutto per lei.»

Iris ci ha voluto mettere il cuore e la faccia pochi giorni dopo quel terribile lutto. È venuta da me, all'*Aria che tira* per mostrarsi così, senza difese, senza trucchi. Sola con il suo sguardo da naufraga e il suo cuore a pezzi. Mi ha travolta, e ho pianto a incrociare il suo sguardo di sorella eterna nella vita e nella morte. Raccontare il lutto significa iniziare a elaborarlo. Voglio pensare che quei minuti così dolorosi, così intensi dentro l'inquadratura di una telecamera siano serviti a lei come sono serviti a noi. Per capire, per capirci. Per sentire il dolore, ma anche per provare a riprendere a nuotare. Ma ci vorrà ancora tempo.

Quando in molti pensavano che fosse quasi un gioco, qualcosa che si sarebbe concluso presto. Mentre ci consolavamo con le apericene a distanza e i canti sul balcone, Iris ci ha dato uno schiaffo in piena faccia che ci ha fatto risvegliare. Per me, almeno, è stato così. Oggi vi racconto questa storia per non dimenticare cosa sono stati quei giorni. E per non dimenticare che la sorellanza è per sempre.

I giorni dell'abbandono

Enrica

«Myrta, la prego, chieda a un esperto se è normale la mia situazione e se c'è qualcosa che devo fare per migliorarla.

La ringrazio infinitamente.»

Parto così dalla fine: dalla frase con cui Enrica ha scelto di chiudere la lettera che ha indirizzato a me. Ci trovo smarrimento e ci trovo una straordinaria dolcezza. Posso dirlo? Meravigliosamente femminile. Enrica è così, ha la dolcezza delle donne decise, quel tipo di dolcezza che sbagli a scambiare per debolezza. Enrica è di Milano ma gran parte della sua vita l'ha passata a Bergamo. Dove si sentiva felice e protetta. Una città ricca ed efficiente dentro una regione laboriosa e moderna. Un bel lavoro di insegnante da cui era appena andata in pensione, un marito amorevole che, le cose non succedono mai per caso, è anche un genetista di fama, due splendide figlie laureate e con una carriera sicura. Cosa volere di più dalla vita? Poi un giorno Enrica si ammala di Covid, all'improvviso. Solo che lei non lo sa. Nessuno può saperlo. In Italia il Covid è un gran mistero. Nei palazzi del potere ci si accapiglia su quando e come chiudere, se è «solo un'influenza» e se «ne usciremo migliori». E intanto lui, il virus, a poco a poco si insinua dove nessuno se lo aspetta. Non nelle città turistiche, non nelle metropoli affollate, non nei quartieri popolari. Ma nella nobile, ricca, avanzata Bergamo. Enrica non lo sa ma sta diventando un numero, una statistica, un pezzo di una storia tragica. In quei primi giorni di marzo, l'unica cosa che sente è una strana febbre che non va via, anzi peggiora.

È l'8 marzo, il giorno della Festa della Donna ed Enrica, mentre il malessere aumenta, si ricorda che giorni prima, a fine febbraio, durante un convegno era andata ad abbracciare un'amica. «Scusami, non sto benissimo, sono giorni che ho uno strano raffreddore» le aveva detto l'altra. Enrica non ci aveva fatto caso, perché all'inizio del 2020 ancora queste parole si accoglievano con un sorriso. E invece non c'era nulla da sorridere. Perché era l'inizio dell'inferno per un'intera area del nostro Paese. Alla tv sente voci sempre più preoccupanti, questo strano virus arrivato da lontano sta facendo sempre più vittime. E allora il sospetto ti viene. E allora prendi e chiami il 118.

Enrica mette piede all'ospedale di Bergamo che è ancora febbricitante. La fanno passare per fare le lastre solo grazie all'insistenza del suo medico curante.

Uno che da lì a poco morirà di Covid. Perché all'inizio era così, morivano quelli che ci mettevano la faccia, gli occhi, il naso, quelli che andavano a vedere, quelli che non volevano lasciare soli i loro pazienti.

Enrica entra all'ospedale e fa le analisi. Che suonano come una sentenza: «Polmonite interstiziale». Covid conclamato. La soluzione: «Posto in ospedale non ce n'è, lei è troppo vecchia, torni a casa». Così le dice la dottoressa di turno. Enrica si fa ripetere una, due, tre volte. Sgrana gli occhi. Lei ha solo settantadue anni e scoppia di salute, di energia. Come è possibile che il suo ospedale, la sua città la rimandino a casa? Balbetta: «Ma cosa posso fare per curarmi?». La risposta è quasi umiliante: «Sa preparare il brodino? Prenda quello».

Come si può dire una cosa del genere a una ammalata? «Certo che so farmi il brodino, l'ho fatto alle mie figlie per anni. Non me lo deve certo spiegare un dottore» risponde stizzita. Non è quello che si aspetta di sentire da un medico, niente di quello che vede è qualcosa che si aspettava. Intorno a lei scene ben lontane dalla retorica dell'eroismo. «Sembrava più quel film di Alberto Sordi, si ricorda, *Il medico della mutua*?» mi dirà qualche mese dopo, sorridendo, di un sorriso amaro. «Il primario attorniato da torme di assistenti più interessati a ossequiarlo che a curare i malati. Le barelle ovunque, i dispositivi di protezione scarsi e scarsamente utilizzati.» Insomma, la radiografia non dei polmoni di Enrica ma di un disastro sanitario.

Così Enrica torna a casa e lì inizia il secondo e vero e proprio calvario. Senza cure, la situazione peggiora. La saturazione polmonare diminuisce, il fiato è corto, la febbre sale. Dietro la finestra di casa, le figlie la spronano. Vicino, sempre vicino, c'è suo marito. Che non si arrende, che prova a non farle sentire il suo terrore, le sue angosce. Che sfida anche lui il Covid (lo prenderà, ma fortunatamente in modo asintomatico).

«A volte abbassava gli occhi per non farmi capire quanto fosse preoccupato. Sono viva grazie a lui. Il suo amore e le sue cure mi hanno salvata.»

Intanto, al telefono provava invano a chiamare medici e ospedali. Sempre la solita musichetta, quasi una beffa per chi stava soffrendo. «Dove sono? Possibile che io sia solo un elemento irrilevante di tutto questo? Possibile che nessuno ascolti la mia febbre, il mio dolore articolare, i miei brividi e il mio mal di schiena, i miei mille dubbi, e questa angoscia che inizia a travolgermi?»

È questo che si ripete ossessivamente Enrica in quei giorni drammatici e sospesi.

«Sono stata a casa dieci giorni, quasi tutti trascorsi con febbre altissima, tosse convulsiva, ero una tachipirina che camminava.
Solo una volta ho trovato qualcuno dall'altra parte del telefono. Stavo sempre peggio. Chiedevo aiuto. La risposta è stata: "Se proprio non riesce a stare a casa, prenda un autobus e venga qui".»

Un autobus a una malata di Covid? Farebbe ridere se non fosse tragico. Impensabile. Insensato.

Dobbiamo noi ringraziare Enrica che quell'autobus non l'ha preso, salvando così probabilmente qualche ignaro passeggero. Ma certo viene da pensare, e se al posto di Enrica ci fosse stata (e sicuramente ci sarà stata) qualcuna meno attenta, meno istruita, qualcuna che con il Covid, su consiglio medico, fosse davvero salita su quell'autobus? Forse è anche per imprudenze e superficialità come queste che il Covid a Bergamo si è trasformato in una tragedia tanto grande.

Sono strane creature le istituzioni, quelle entità che incombono su di noi e che sostanzialmente riescono a non mostrarsi mai davvero. E tuttavia dirigono, incanalano le nostre vite. Sono strane creature perché ogni giorno ci danno disposizioni, ordini, scadenze, divieti. E lo fanno anche in nome della loro funzione protettiva. Sono un po' paterne, ci trattano come se fossimo tutti dei figli e delle figlie scapestrati. «Attento, non fare quello, non fare questo.» Lockdown, mascherina, coprifuoco. Tutto giusto e tutto necessario quando c'è da salvare delle vite. Ma poi un giorno ne hai bisogno e scopri che quell'istituzione così severa sa trasformarsi in nient'altro che in una musica buona per trattenerti al telefono, per riempire la tua attesa inutile. Così ne viene fuori un panorama straniante. Tante parole, tante regole e pochi fatti.

Al di là dei suoi timori e delle ansie comprensibili, al di là della febbre alta che l'aveva colpita, Enrica ha soprattutto sentito come tanti altri di essere stata lasciata sola. Abbandonata al caos di informazioni vaghe che abbiamo trattenuto in questi lunghi mesi di virus. Mesi nei quali il sistema migliore per fronteggiare la pandemia cambiava vertiginosamente ogni settimana, a un ritmo più rapido di quello con cui sono apparse le varianti. Avigan, Tocilizumab, idrossiclorochina. Nomi astrusi cui ci aggrappavamo come a una nuova speranza, un'ancora di salvataggio. Per settimane, si sono succeduti farmaci che un giorno erano miracolosi e il giorno dopo pericolosi. Il virus rimaneva nelle scarpe, sull'asfalto, restava in aria ore, minuti, serviva una mascherina chirurgica o una FFP2? C'erano mascherine buone e cattive, altruiste ed egoiste, i guanti erano necessari, ma in fondo anche no. Abbiamo accettato protocolli che un giorno parevano la salvezza e il giorno dopo erano totalmente da rifare. Intendo dire che far da soli ha esposto tanti a rischi notevolissimi, e alla paura di doversi arrangiare senza alcun aiuto per tenere a bada il proprio maledetto 39 di febbre. Ed è chiaro che di fronte a una pandemia che ci colpiva per la prima volta nessuno chiedeva miracoli. Ma forse un po' più di chiarezza sì. Almeno l'avrebbe voluta Enrica.

«Piano piano mi sono rimessa. Avevo fatto una cura di eparina per un problema avuto qualche mese prima. Probabilmente quella mi ha salvato, mi ha dato la forza. La febbre è scesa e ho ripreso a respirare. Ma al sistema sanitario, brutto dirlo, non devo nulla. Solo una telefonata-beffa qualche tempo dopo quando ormai ero in via di guarigione per chiedermi come stavo. Dopo giorni, settimane, una telefonata! E un messaggio registrato del sindaco che ci diceva che ne saremmo usciti migliori e per fare le condoglianze a chi non ce l'aveva fatta!»

Sono passati mesi, ma la rabbia e il dolore di Enrica non si sono placati.

«Il long Covid esiste. Dopo l'anno scorso non sono più tornata come prima. Continuo a sentire il fiatone anche dopo piccoli sforzi. Ma soprattutto, è una sofferenza fisica pensare a quei giorni. Alla disorganizzazione, ai medici che sembravano interessati a tutto tranne che a noi, alle informazioni contrastanti e ridicole. Mi sono sentita presa in giro. Col vaccino è andata meglio, va detto. Un giovane dottore ha controllato la mia situazione e mi ha fatto fare degli esami "per ogni evenienza". Ora sono vaccinata e provo a riprendermi la mia vita. Ma è dura.»

«Beato il Paese che non ha bisogno di eroi» diceva Brecht. L'Italia purtroppo è, in questo senso, un dannatissimo Paese. Ne abbiamo a bizzeffe di eroi: contro la mafia, contro la corruzione, contro il terrorismo, ora contro il Covid. A volte, spesso, la definizione è giusta, calzante.

L'emergenza continua in cui versiamo chiede spesso gesti eroici. Azioni elementari diventano imprese, le eccezioni diventano la regola. Altre volte ci facciamo prendere un po' la mano, soprattutto nei media. Allora l'etichetta «eroico» diventa un rifugio facile per fare retorica. Ma in una tragedia come quella del Covid c'è da distinguere bene, senza generalizzare. Di eroi e di eroine ne abbiamo avuti tanti, anche troppi. Ma non è sempre andata così. La malasanità non è scomparsa di colpo: la scarsa competenza, l'incapacità, la burocrazia sono rimaste dentro i nostri ospedali e sarebbe ingiusto nasconderle dietro qualche gigantografia di eroi.

La lettera di Enrica è per me la lettera dei grandi interrogativi nascosti, delle domande che non ci facciamo perché in fondo ce ne sentiamo distanti. Poi un giorno il disagio, il panico, toccano a noi, proprio a noi. Ed è allora che nasce il bisogno concreto dell'aiuto, del supporto competente, di qualcuno che davvero faccia qualcosa per te. Ed è allora che ti accade di fissare una nuova distanza, siderale, dalle istituzioni.

So bene che dall'esterno è facile attribuire colpe. Se lo Stato è così assente, così distante, come spesso si dice, e come purtroppo verifichiamo quando ne abbiamo bisogno, è per scelte che vengono da lontano, e alle quali quasi sempre anche noi non abbiamo dedicato l'attenzione che meritavano. Molte di queste scelte ce le racconta l'Annuario statistico del Servizio sanitario nazionale. Ci dice per esempio che se nel 2007 l'Italia aveva poco meno di 1200 istituti di cura, dieci anni dopo ne conta 1000, ben 200 in meno. Un fenomeno dovuto a riconversioni e ad accorpamenti vari. In realtà, la riduzione del numero di ospedali pubblici in Italia è iniziata all'incirca venticinque anni fa. E se pensate che sia una tendenza necessaria per adottare misure di austerità, andiamo allora a vedere qual è stato l'impatto di questa riduzione così severa sulla spesa pubblica. È nullo, anzi quella voce del bilancio ha continuato a crescere. Nel 1998 avevamo una spesa pubblica che si aggirava sui 60 miliardi di euro, nel 2010 questa stessa spesa era salita a 112miliardi. E poi tagliare ospedali vuol dire tagliare posti letto, come è facile immaginare. Anche qui, anzi soprattutto qui, i numeri sono spietati. Nel 1998 avevamo 311mila posti letto disponibili, nel 2007 erano scesi a 225mila. Sapete quanti ne abbiano sulla base dei rilevamenti più recenti? Siamo a circa 191mila, e questo vuol dire che il calo non si ferma, e purtroppo vuol dire che ciò che viene definito accorpamento è in realtà una semplice soppressione del diritto alla salute. Avevamo 5,8 posti letto ogni mille abitanti poco più di vent'anni fa, e oggi siamo passati a 3,6.

Vedi, Enrica? Il 112 non ti rispondeva anche a causa di tutto questo, per le scelte di cui in questi anni quasi non ci siamo accorti, per la democrazia che viviamo e alla quale partecipiamo talmente poco da cascare dalle nuvole ogni volta che poi abbiamo bisogno di servizi e ci rendiamo conto che i servizi si sono dissolti.

Gaber ci aveva avvertiti, ce l'aveva detto che non c'è democrazia senza partecipazione, ma abbiamo sperato fosse solo una canzone, l'abbiamo canticchiata distrattamente e solo ora sappiamo che quel grande poeta ci stava indicando la strada dell'autentica convivenza civile.

Quanto vale un eroe?

Michela

Eroi ed eroine, dunque. Quelli che ci mettono in salvo, quelli che combattono contro i cattivi. È sempre bello averli a fianco, ma quando sono troppi vuol dire che c'è un problema. Pensiamo a Enrica sola e abbandonata nella sua camera mentre il Covid la teneva lontana dai suoi cari, terrorizzata da quello che le poteva succedere. Pensiamo a Enrica che sentiva parlare di eroi ogni giorno e poi nessuno andava a salvarla. Non voleva un eroe, voleva semplicemente qualcuno che le rispondesse al telefono, un medico, un infermiere che le spiegasse cosa poteva fare per salvarsi. E invece ascoltava solo una segreteria telefonica, una musichetta registrata.

Eppure, c'è il rovescio della medaglia, perché, se non tutti siamo eroi, qualcuno lo è per davvero. L'elenco dei medici e degli infermieri morti di Covid mentre facevano il loro lavoro sta lì a testimoniarlo. È dura da elaborare la verità, è fatta di tanti aspetti, tanti fattori. Se ne sfugge uno poi si perde il quadro complessivo. E si vede tutto in bianco e nero. Tutto sbagliato, tutto da rifare. Tutti eroi e tutti santi. No.

Io questo l'ho capito incontrando Michela. Oggi vive nella sua bella casa con giardino nei dintorni di Ferrara. La vado a trovare per conoscerla meglio. È passato un anno da quando ha avuto un momento di celebrità che è passato in fretta, troppo in fretta. Così quando mi apre la porta col suo volto bello, solare, segnato da un anno davvero terribile, sento che prima di tutto voglio che ricordi cosa è successo un anno prima. Michela è un'infermiera di Ferrara, destinata per qualche mese a una struttura di Senigallia. Siamo nel 2020, il mese è marzo. Tutto si consuma in fretta. «Doveva essere un periodo breve, un periodo quasi tranquillo... E invece è arrivato il Covid tra capo e collo.»

Turni massacranti, malati gravissimi che arrivano da tutte le parti. Le province romagnole e marchigiane colpite particolarmente dalla virulenza della prima ondata della pandemia. Un inferno. Nel frattempo, c'è un'Italia che non si rende ancora conto della gravità della situazione e c'è una politica che sembra più interessata a giustificarsi e a lavarsi la coscienza che a capire. Il 21 marzo del 2020 succede che Michela, in una breve pausa di un turno di notte, dopo una giornata massacrante e spaventosa, scrive una lettera sul suo profilo Facebook. Una lettera indirizzata al presidente del Consiglio che, è sicura, nessuno mai leggerà. Poi si addormenta qualche ora, esausta. Quando si sveglia è successo l'inimmaginabile. La lettera è diventata virale, compare ovunque, sui social, sulle pagine di molti quotidiani, sulle reti televisive. Forse l'avete letta anche voi, forse ne avete sentito parlare. Certo era una lettera molto difficile da ignorare...

«Buongiorno Signor Presidente Conte,
sono un'infermiera di trentanove anni e attualmente lavoro presso il reparto Covid positivi dell'Ospedale di Senigallia.
Ho terminato da poco il turno della notte che ho trascorso con i miei pazienti purtroppo infettati da questo maledetto virus.
Sa Signor Presidente Conte, ho letto la bozza del decreto emanata in questi giorni per far fronte a questa maxi emergenza e mi ha colpito molto la parte dei 100 euro di premio agli operatori sanitari, 100 euro esentasse.
Sa Signor Presidente Conte, io ringrazio Lei e il Governo tutto ma vorrei dirle che io NON LI VOGLIO... NO NO DAVVERO GRAZIE MILLE MA NON LI VOGLIO.»

Bum. Un ceffone che è venuto giù il mondo. Anche perché Michela queste parole non le diceva per snobismo. Solo che era stufa. Stufa delle mance, stufa della retorica, stufa di una politica che si ricorda degli infermieri solo nelle emergenze. «100 euro è uno schiaffo, come un contentino, noi vorremmo delle certezze.» La lettera è come un fiume in piena. Difficile da arginare.

«Sa Signor Presidente Conte, io non li voglio questi 100 euro, non perché non ne abbia bisogno (in fin dei conti prendo 1500 euro al mese notti e festività comprese da ormai 20 anni di lavoro) ma perché le dirò una sonora verità: IL MIO LAVORO VALE MOLTO DI PIÙ DI 100 EURO, DIGIUNARE DA CIBO E ACQUA VALE MOLTO DI PIÙ DI 100 EURO, BAGNARSI LE MUTANDE DI PIPÌ E DOVERSELE TENERE COMUNQUE ADDOSSO VALE MOLTO DI PIÙ DI 100 EURO, RINUNCIARE A GUARDARE I MIEI CARI NEGLI OCCHI ANCHE MENTRE MANGIO VALE MOLTO DI PIÙ DI 100 EURO, RINUNCIARE AGLI ABBRACCI DI MIA NIPOTE DI 4 ANNI E INSISTERE A DIRLE DI STARMI LONTANO ANCHE SE LEI PIANGE PERCHÉ VUOLE ZIA VALE MOLTO DI PIÙ DI 100 EURO. QUESTA ROBA TI SPACCA IL CUORE!»

Una lettera difficile da digerire, ogni parola una rasoiata. Michela ci parlava del dramma dei primi mesi di Covid. Della sua paura di contagiarsi, di vedere i suoi amici, persino di respirare. E penso quanto dura debba essere stata una vita in cui anche un respiro può fare paura. Nessuno, credo, potrà mai capire cosa hanno passato i medici e gli infermieri in prima linea in quei primi mesi di pandemia del 2020. Soli, spauriti, senza nessuna sicurezza. Rischiare la vita per poche centinaia di euro. Non amo i paralleli con la guerra, li trovo spesso fuori luogo, ma davvero forse soltanto chi è stato in una trincea ha vissuto una situazione simile. Solo che rispetto alle guerre del passato ora in trincea ci sono anche le donne e sono loro quelle che pagano il prezzo più alto. E le donne hanno sempre un modo tutto loro di raccontare la realtà.

«Sa Signor Presidente Conte, prima del coronavirus potevo definirmi una donnina carina e in ottima salute, sorridente, incazzosa (scusi il francesismo) ma sorridente e megapositiva grazie a sano sport, sano cibo, sane amicizie, con un pelo di acciacchi... sa quando uno si avvicina ai quaranta... oggi ho il viso cadente dalla stanchezza, non sorrido più tanto e anzi sorridere mi costa fatica perché mi fa male la faccia e il cuore, la fronte segnata dagli occhiali protettivi, il naso sormontato da una bozza rossa e dolente solo al più piccolo sfioramento, lo zigomo sinistro edematoso che ha ormai preso il sopravvento sull'occhio sinistro e quando faccio la pipì brucia perché ho la cistite perché sono stressata, disidratata e male alimentata.»

Quando stai in trincea il tuo corpo non esiste. Sei solo carne da macello, buona a tenere una posizione, a difendere un ponte. Ma come uomo o come donna non esisti più. È questo quello che succede in guerra, ed è questo quello che è successo a Michela e a chi come lei ha vissuto in prima linea la pandemia.

E quindi di che parliamo? Di eroi, di eroine? Sì, certo, come quelli che la retorica monarchica e fascista magnificava dopo la Grande guerra, quelli mostrati in giro per l'Italia per dare un senso quando un senso non c'è. Quelli dei monumenti ai caduti, quelli dell'Altare della Patria. Quanto vorremmo non averli più questi eroi. Una facciata ben imbiancata che nasconde un palazzo pericolante. Il finale della lettera di Michela è bellissimo. Pieno di rabbia, ma di una rabbia positiva che guarda avanti, che chiama alla lotta.

«Usi quei soldi per farmi una promessa, vorrei che Lei, dall'alto del suo ruolo che io rispetto e che credo lei stia ricoprendo con onore e dedizione, mi dicesse: "Finito tutto questo, non ci scorderemo di voi come spesso accade, di voi che oggi avete dato tutto e di più per questo popolo che amate e siete rimasti in piedi nonostante tutte le difficoltà e non avete mai mollato, e vi prometto che finito tutto questo, prenderemo il vostro contratto collettivo nazionale, lo miglioreremo mettendo mano sia alla parte normativa sia alla parte economica, ascolteremo i vostri sindacati con i quali contratteremo e che ci porteranno le vostre rimostranze.
Io, il Signor Presidente, ve lo prometto!".»

Così si chiude la lettera di Michela, ma subito dopo si apre un capitolo nuovo nella sua vita. Uno sfogo serale diviene in breve tempo un contenuto virale che passa attraverso i social e arriva ai giornali, alle televisioni e poi fino ai famosi palazzi del potere. Sì, perché in quel momento a Palazzo Chigi c'è Giuseppe Conte che, al suo primo discorso in aula, si era presentato agli italiani come «l'avvocato del popolo». E allora succede che l'avvocato-presidente decide di rispondere a Michela e lo fa in Parlamento nel question time sulla drammatica situazione Covid. È un pomeriggio da lockdown, un pomeriggio da zona rossa, quando Conte si rivolge direttamente a quella che è diventata l'infermiera più famosa d'Italia.

«Ecco, Michela, a nome del governo, ma credo che tutti i membri del Parlamento possano ritrovarsi in queste parole: noi non ci dimenticheremo di voi.»

Per un attimo ci abbiamo creduto tutti, confessiamolo...

E invece, niente. Politicamente la storia è nota. Passa il tempo, Renzi nel frattempo ha fatto cadere Conte. E ora c'è Draghi che forse resta fino al 2023, forse no. Ma alla fine, il problema non è Conte, non è nemmeno Draghi, è che la canzone rimane sempre la stessa... Parole parole parole. La promessa di un politico è scritta nella sabbia. Ma tu vaglielo a spiegare a Michela. Valle a spiegare che tu lo hai capito solo perché è trent'anni che fai questo mestiere. Che quando facevi la giornalista e scrivevi articoli brevi per «Il Mattino» di Napoli, allora sì, anche tu magari ci credevi a quello che dicevano i politici. Poi sei cresciuta, hai lavorato in Rai, a La7, hai avuto grandi maestri e finalmente hai capito. Hai capito che la politica italiana è una cosa complicata, fumosa.

E non è colpa neanche del singolo politico se non mantiene la sua promessa. Lui magari ci si mette d'impegno, si costerna, si indigna, si impegna, poi getta la spugna con gran dignità, come cantava De André. Perché è difficile, perché abbiamo più leggi che persone, perché ci sono labirinti alle Camere che manco ce li sogniamo. Ma di tutte queste parole Michela che se ne fa?

Ed ecco perché voglio andare a chiederglielo di persona. Faccio qualche chilometro fino alla sua casa vicino Ferrara, in quella campagna piana, ma piena di storia che sta appena sotto il Po. Quella di Antonioni e di Visconti. Michela mi invita a entrare con un sorriso, è passato un anno esatto da quella lettera, lei è più bella, più curata, più tranquilla rispetto alle tragiche notti della primavera del 2020. Ora ha il tempo per curarsi un po', i capelli, il viso. È bella Michela, incorniciata nel prato del suo giardino perfetto, si vede molto bene. Ora è di nuovo a Ferrara. È ritornata dopo la breve e drammatica parentesi di Senigallia. Lavora nell'ospedale locale. E però nulla si è mosso veramente. Anzi, forse la situazione è anche peggiorata.

«I ritmi di lavoro oggi sono gli stessi di prima. Quando scrissi a Conte ero nelle Marche e in reparti Covid. Oggi sono in terapia intensiva Covid a Ferrara. Mi prendo cura dei pazienti più gravi, quelli che ci muoiono sotto gli occhi. È cambiato lo spirito con cui lavoriamo. Ci mettiamo sempre la voglia, il cuore, l'impegno. Ma se l'anno scorso ci sentivamo compresi dal mondo fuori, oggi no. Lo dico chiaramente: è arrivata la notizia che i fondi sanità di Regione Emilia-Romagna rispetto all'anno scorso sono gli stessi, però noi siamo di più, quindi il nostro stipendio sarà abbassato. Maggiore uso di camici, materiale medico sanitario, più personale, ma gli stessi soldi. Sul materiale non puoi risparmiare. Quindi risparmi su di noi.»

Glielo leggo negli occhi che c'è rimasta male, che ci aveva creduto che potevamo uscirne migliori, che la situazione dei sanitari sarebbe cambiata. Invece nulla, neanche stavolta. Gli infermieri sono tornati nell'ombra. È questa la fregatura degli eroi e delle eroine. Che valgono quei quindici minuti di applausi e di complimenti, poi facciamo davvero presto a dimenticarli. È un po' come se gli dicessimo: «Be', ti ho chiamato eroe? Che altro vuoi?».

Capite che dannata trappola? Non serve essere chiamati eroi. Perché loro lo sono davvero. Ogni volta che mi parla del suo lavoro, Michela mi mette i brividi. I suoi occhi si incupiscono di colpo, la voce si increspa, come incalzata da un dolore che non smette di ferire.

«Ieri ho fatto una videochiamata con un paziente che poi è morto durante la notte, oggi mi sono messa a piangere a casa con il mio fidanzato. Quindi il dolore nostro non cambia. Ma ci sentiamo presi in giro. Ti propongono per il premio Nobel, ma poi ti abbassano lo stipendio? Ma io devo fare la spesa a fine mese. Come la faccio? Con la candidatura al Nobel? Io avevo sempre avuto fiducia, anche quando ho scritto a Conte avevo detto che lo ammiravo per il lavoro che faceva, però ora no. Noi oggi andiamo a lavorare arrabbiati, delusi. E quindi lavoriamo peggio.»

Michela prova a prenderla con resilienza, come si

dice ora, ma proprio è difficile. La seguo mentre si muove per la casa, il suo nido sicuro. È inquieta. «Il messaggio che non passa è: noi ce la mettiamo tutta, se tu attacchi chi lavora nella Sanità, fai del male a tutti noi, perché la Sanità è di tutti, quindi fai del male al Paese. Ieri avrei voluto che ci fossero dei politici insieme a me a fare la videochiamata a quel paziente. Così magari capivano di che pasta è fatto il nostro lavoro. Ho chiesto io di andare in reparti Covid, perché amo il mio lavoro e so che c'è bisogno di me lì. Però queste cose rovinano lo spirito delle persone, uno rimugina e ci sta a pensare. Noi dobbiamo poter sorridere per far star bene gli altri. La cosa assurda è che prima di un anno fa nessuno sapeva quanto guadagnassimo, perché non ci eravamo mai lamentati più di tanto. Non abbiamo mai disturbato la società, abbiamo sempre fatto il nostro lavoro. Poi, l'anno scorso tutti lo hanno saputo e si sono indignati. E come finisce? Che lo stipendio ce lo abbassano! È ridicolo.»

Le sue parole sono una sorta di disperato appello. Perché noi abbiamo ancora un'idea novecentesca di chi sono gli infermieri. Ce li immaginiamo un po' rozzi, ignoranti come in un film di Verdone. Una via di mezzo fra un portantino e una segretaria. Eppure di passi avanti se ne sono fatti. Oggi quasi tutti gli infermieri hanno una laurea e diverse specializzazioni. Frequentano corsi di aggiornamento continui. «Il mio compagno è medico» dice con un sorriso «ma alla fine non siamo così diversi.» Ha preparato due belle tazze di caffè, me ne porge una senza smettere di parlare. Adesso al dolore si è unita la rabbia, le parole si rincorrono senza interruzioni o dubbi. È una necessità, un'urgenza.

«In un reparto Covid è il medico che chiama i parenti per dire come sta il paziente che è intubato. Poi ci sono pazienti che sono sottoposti a ventilazioni particolari (per esempio il casco), ma sono coscienti. In quei casi, li gestisci tu. Il paziente dice a te infermiere le cose e tu le riferisci alla famiglia. Di modo che si possano vedere tramite lo schermo e parlare tramite te. E questo è quello che ho fatto ieri. Io ho un problema con le videochiamate. Mi stremano. Vedi la moglie, vedi il figlio, vedi casa loro. Normalmente cerchi di essere freddo, di tenere lontano le emozioni. Quando vedi i parenti contestualizzi tutto, il paziente torna a essere "qualcuno", con una vita, con degli affetti. E allora è dura. Devi dire cose che consolano. E devi un po' mentire perché il paziente ti chiede di non far preoccupare i parenti. Una volta ho dovuto raccontare che un paziente intubato non stava male, ma faceva solo delle prove tecniche. Mentire è terribile. Esci e devi richiamare per dire la verità. Mi si chiude la gola solo a raccontartelo. Questa è la nostra quotidianità. Una sofferenza pazzesca. Così ho sofferto solo con i pazienti oncologici, solo che qui i parenti non possono neanche abbracciare i propri malati. Tu devi dire alla moglie di no, che non può entrare.»

Come si fa? Come si sopporta tutto questo? Sta bevendo il suo caffè, Michela. Cerca in questi piccoli gesti un residuo di normalità. Ma si ferma, non è ancora il tempo, gli occhi un po' tremano.

«Io davvero non so ancora come faccio a farlo. L'unica cosa cui ti aggrappi è la vita di fuori, quindi magari il tuo fidanzato. Sogni di finire e andare a casa. Poi vai a casa, ti metti a letto, chiudi gli occhi e però fai gli incubi. Le voci, le immagini ti inseguono sempre. Io leggo molto per cercare di distrarmi. Però, poi se ci trattano pure male, vedi lo stipendio, il dolore non se ne esce. È un dolore che non si impara a gestire. Neanche dopo più di un anno di Covid. L'unico modo di sopportarlo è lasciarlo uscire. Quindi, io vado a casa e piango. Lo butto fuori. Ci serve il sostegno sociale. Il sentirsi compresi. L'anno scorso c'era di più.»

Quindi basta con gli eroi e le eroine, lasciamoli al cinema, alla Disney, e pensiamo a come avere semplicemente la normalità di una sanità che funziona, di strutture adeguate e coordinate. Michela ha vissuto un attimo di celebrità non voluta («Non mi piace stare sotto i riflettori» mi confessa) e ora invece che sta lottando nessuno la ascolta. Ma non si arrende. Lo vedo. È qualcosa di chimico. Ha una energia infinita questa ragazza che ha lottato trentanove anni per i suoi sogni, per la sua vita, per i suoi diritti.

Ora ha smesso di parlare, mi ha sorriso e mi ha lasciato sola in cucina. Soltanto qualche minuto, poi torna. Si è vestita con cura ed è pronta a uscire. Mi fa salire nella sua auto, la destinazione è una sorpresa.

«Sai cosa sto facendo in questi giorni, Myrta? Sto raccogliendo firme coi rappresentanti sindacali per non farci togliere i soldi, come se avessimo tempo libero da buttare. Esci da un reparto Covid e devi fare un sit-in. Un Paese civile dovrebbe ricordarsi cosa è successo, cosa hanno fatto le persone, deve ricordarsi di noi.

«A Natale si è tutti più buoni, si dice così: io invece già a Natale notavo una cattiveria tra le persone ed è allora che ho capito che non impariamo mai nulla, neanche questa volta abbiamo imparato e questo perché non abbiamo memoria.»

Arriviamo al sit-in. Tanti volti simpatici, composti, dignitosi. Nessuno vuole una rivoluzione, nessuno vuole diventare ricco e famoso. Qualcuno ha una bandiera sindacale, qualcuno un fischietto. Si sta bene in mezzo a loro. In mezzo a questi ex eroi, ora così umani. Troppo umani. Vogliono avere un futuro. A futura memoria (se la memoria ha un futuro), diceva Sciascia. E io spero proprio che ci sia un futuro per la loro memoria. Per quei momenti drammatici in cui queste persone sono state lasciate sole al fronte a combattere per noi, per tutti. In futuro, vorrei non ci fossero più fronti su cui combattere e vorrei che non ci fossero più eroi ed eroine, ma solo donne e uomini che per avere riconosciuta la loro dignità non debbano più scrivere al presidente del Consiglio.

La rosa quadrata

Ilaria

Ilaria Capua per me è solo Ilaria, ma il suo cognome importante è fra quelli che hanno avuto sempre più risalto nell'ultimo anno su giornali e televisioni. E a ragione. Il suo lavoro gode di fama internazionale. Ha scritto sulle più autorevoli riviste scientifiche del mondo. È a capo di un centro prestigioso di ricerca dell'Università della Florida.

Si direbbe che adesso sia più sua la Florida di quanto non lo sia la vecchia Italia, dove in passato le fu rivolta l'accusa vergognosa di procurata epidemia rivelatasi poi infondata. Quella torrida porzione di America è casa sua e della sua famiglia, l'Italia è un riferimento aspro, qualche volta dolce, poi di nuovo aspro. L'hanno ferita e lei non lo dimentica. Non può. La capisco, le accuse sono coltelli che ti si conficcano dentro, e di cui in fondo non ti liberi mai.

Ma, come ho detto, per me Ilaria Capua è solo Ilaria, e rappresenta soprattutto la verità, che non

a caso è una parola femminile. Ha visto fin dall'i-
nizio dove lo sguardo di tanti altri non riusciva ad
arrivare.

Ilaria Capua è la luce che colpisce l'iride nelle notti di nebbia: cerchi di seguirla, anche procedendo a
tentoni. E sai che in qualche modo ti porterà oltre il
bosco. D'altra parte, quando la nebbia è troppo fitta
avanza solo chi conosce bene la strada, chi l'ha già
percorsa molte volte.

Gli altri inciampano, sbagliano, cadono, si perdono.

«Tutto il futuro è una nebbia che ci circonda e il domani sa di oggi quando si intravede» scriveva Pessoa.

Ecco, è questa la prima immagine che mi viene in
mente, quando nella folla dei ricordi affastellati di quei
primi giorni nebbiosi, è comparsa lei, Ilaria.

Sembra una favola, invece è scienza.

«Mica sono una preveggente, però sapevo di cosa
parlavo. Questo è un film che avevo già visto, Myrta,
purtroppo l'avevo già visto.» Io ricordo soprattutto
un'immagine di ciò che mi disse allora: «Non aspet-
tatevi morti per strada, non arriveremo a tanto. Aspet-
tiamoci invece un evento che manderà in tilt il nostro
intero sistema, prima quello sanitario, poi quello economico e quello sociale».

È accaduto, siamo proprio qui, da più di un anno
siamo in questo crash. «Non mi sono inventata nulla. L'avevo semplicemente studiata questa roba. Lo sapevo che il sistema sarebbe imploso. Ho trascorso gli
ultimi trent'anni della mia vita a studiare le emergen-

ze di una pandemia. Intendo dal punto di vista virologico, per comprendere il cammino che il virus compie per trasformarsi da prepandemico a pandemico.» Cioè l'istante in cui avviene il salto di specie, dall'animale all'uomo.

«Purtroppo è stata forte la sensazione del disorientamento, non solo delle persone comuni, ma anche di chi doveva prendere decisioni e dei tanti chiamati a suggerire le soluzioni. Diciamolo apertamente, si è vissuto il collasso. E la Lombardia ne è l'emblema drammatico. Ma scusate, se sono a Milano, prendo lo smartphone e faccio il numero del radiotaxi, mi arriva un'auto in tre secondi. Mi dite com'è possibile che non si sia riusciti subito a mettere insieme l'anagrafica dei cittadini e un luogo in cui dovevano vaccinarsi?»

Le parole che oggi Ilaria ripete, scandendo ogni sillaba, mentre si collega con un filo invisibile, dalla sua casa di Gainesville alla mia di Roma, sono un flashback continuo.

Quello che la pandemia ha fatto, oltre lo strascico di dolore e morte che mai più scrolleremo dalle nostre coscienze, è l'alterazione dei nostri riferimenti spazio-temporali.

Tutto ci sembra vicino, prossimo, a portata di clic; eppure nulla è mai stato così lontano, inafferrabile, non godibile.

«La pandemia sai cosa ha fatto? Ha fatto venire al pettine i nodi delle nostre fragilità, comprese quelle che non sospettavamo. La rete informatica finora

è stata carente e si è al massimo tentato di rattop-
parla. L'Italia le competenze le avrebbe, ma appena
cominciano a dar fastidio le riduce al silenzio, le neu-
tralizza, in alcuni casi addirittura le espelle, se ne libera.»

Ilaria Capua ha subìto una guerra feroce che l'ha
spinta a scappare in America. Mettere in campo gente che sa ha prodotto una specie di rifiuto.

«Insisto, Myrta, io vorrei solo che si facesse veramente tutto il possibile per tirar fuori le persone da
questo sfacelo. Perché mettiamoci in testa che lo sfacelo non va via presto, e non va via da solo. Se vogliamo andare avanti dobbiamo riscoprire la competenza. Non dimentichiamo quanta fatica abbiano fatto
in Italia i vaccini ad avviarsi e a partire davvero.»

Ma la competenza a volte non basta, bisogna anche
essere, come un po' retoricamente si dice, «in sintonia
con il Paese». Bisogna comprendere che appunto non
si può solo fare la cosa migliore, ma bisogna fare anche la cosa giusta. E la cosa giusta è ricordarsi che, oltre alle migliaia che muoiono e che vanno tutelate per
prime, ci sono i milioni che soffrono per mancanza di
lavoro, di soldi. Allora bisogna andare sul pratico, senza tanti fronzoli.

Non c'è dubbio che la sequenza di errori fatti sia
lunghissima. E poi tutto è apparso così farraginoso e
lento. Si sono seguiti i canoni delle situazioni ordinarie, quando invece quei canoni non funzionano negli
eventi straordinari. Bisogna trovarne altri.

«Un'idea? Potrà sembrare irriverente, ma dico quel

che penso: nella gestione della campagna vaccinale si poteva fin dall'inizio coinvolgere i veterinari pubblici, che sono abituati a tracciare prodotti e animali. Quando gli animali si spostano da un Paese all'altro, vanno regolarmente certificati. Se devono entrare in Italia cinquanta mucche provenienti dall'Olanda, non entrano mica con le regole di Schengen. Quelle mucche devono avere il vaccino, il passaporto di immunità, la certificazione del codice genetico. Sono proprio i veterinari, che lavorano nel servizio pubblico, ad avere la competenza per tenere sotto controllo una campagna vaccinale di massa, poiché il loro lavoro quotidiano è esattamente il tracciamento. Ci vuole interdisciplinarietà.»

I suoi studi, le sue ricerche tornano a farsi vivi prepotentemente. È un'idea di salute complessiva, un approccio alla vita e alla cura che abbraccia tutti i livelli della scienza. Solo così se ne viene fuori.

Una cosa è chiara da subito, se parli con Ilaria Capua: nulla saprà di infingimento. Ilaria parla dritta, perché pensa dritta, perché dritta è la schiena sulla sedia dello studio e del laboratorio di ricerca.

Torno sul tema della competenza che non solo deve essere pratica e scendere dagli scranni dei convegni e delle aule universitarie, ma deve anche essere condivisa. Non c'è una opinione da rifiutare a priori se è di uno scienziato, non c'è un sapere che va sprecato. Contro Ilaria la questione della competenza è stata usata come un'arma. Qualche medico è ricorso al termine «veterinario» per insinuare che lei non fosse abbastanza. Come se essere veterinario equivalesse a essere un medico di serie B. Uno da ascoltare solo se si ammala il gatto di casa. Ilaria porta in sé il significato della forza, e la forza difficilmente parla a bassa voce. A volte sembra anzi sprezzante, politicamente scorretta, dura, sempre in difesa. Ma forse è quello di cui abbiamo bisogno.

«Mi è stato detto testualmente che devo occuparmi di polli. Ma qui entriamo nel capitolo donne, e dovremmo ricordare quanto per ciascuna di noi è necessario corazzarsi il doppio in ogni occasione simile.»

Ecco, parliamo proprio di loro, allora, di noi: le donne. Ilaria non è una che si traveste da maschio. Penso che sia molto femminile nel suo lavoro di scienziato. Si preoccupa di comunicare in maniera che sia sempre comprensibile, non dà mai la sensazione di mettersi in cattedra. Trovo che sia femminile perché ha un modo empatico di esprimersi. E confesso che è quel che provo a fare anch'io nel mio lavoro di giornalista, restare sempre all'altezza dello sguardo di chi mi segue.

«Qui sfrutto le mie conoscenze di veterinario. Sai cosa bisognerebbe far sempre in presenza di un cane per non spaventarlo e non rischiare che diventi aggressivo? Dovremmo accovacciarci, mettere il nostro sguardo al livello del suo e fargli sentire che siamo sullo stesso piano. Non guardarlo dall'alto in basso.»

E di aggressività Ilaria ne ha subita tanta. L'accanimento col quale è stata attaccata sembra il metodo tipico col quale si cerca di distruggere una donna.

«Si tenta di sminuire, gli attacchi alla mia credibilità puntano sistematicamente a indebolire l'autorevolezza di ciò che affermo. Io ho sempre sostenuto che i vaccini non avrebbero azzerato la trasmissione, ma l'avrebbero ridotta in misura significativa. Non tutti, all'inizio, la pensavano così. E ho sempre aggiunto che la mascherina va portata, anche da vaccinati. Qualcuno potrà non condividere, ma c'è modo e modo di dissentire.»

Lei i vaccini li conosce bene, e la cronaca le ha dato ragione.

«Li ho testati a lungo in laboratorio, conosco bene la problematica dei vaccinati "portatori sani". Fare un vaccino non è come usare un interruttore, col quale la luce del virus si spegne e si eliminano altre possibilità di diffusione. Se un vaccinato che è stato contagiato si presenta in una Rsa, rischia di trasmettere l'infezione e far ammalare i più fragili. Il vaccino non protegge contro la trasmissione, sia chiaro a tutti, perciò fino al giorno in cui non avremo raggiunto l'immunità di gregge la mascherina sarà indispensabile.»

Mi interessa sentire Ilaria parlare di nodi al pettine, e il pettine delle donne durante questa pandemia è pieno di nodi. Al di là delle difficoltà storiche, tantissime necessità, vecchie e nuove urgenze, sono una volta ancora ricadute sul mondo femminile. Se questa fase può essere per le donne anche una straordinaria opportunità, ci sono però moltissime testimonianze, che raccolgo e racconto ogni giorno, di donne che mi parlano dei loro nuovi disagi.

«Intanto io un'opportunità gigantesca la vedo nell'impulso avuto dallo smart working. Con lo smart working si può fare tutto, ma proprio tutto, molto più di quanto avessimo immaginato e preparato. Da remoto si possono addirittura fare figli, basta procedere con la fecondazione a distanza.»

Be', non proprio il massimo della vita! Ma Ilaria non parla per slogan. Mi spiega paziente cosa intende.

«Sai quante volte in passato mi invitavano a un convegno e mi dicevano: ti aspettiamo qui. E io: ma sono a sedicimila chilometri, non posso collegarmi in video? E loro: non scherziamo, ti aspettiamo qui. Capisci? Malgrado il viaggio lunghissimo, il soggiorno e tutti i costi che ciò comporta. E oggi che il digitale sta avendo una spinta esplosiva e inevitabile, per le compagnie aeree non sarà facile ripristinare il volume di scambi e viaggi di un tempo.»

Quindi lo smart working è la prima grande opportunità.

«Io direi che dobbiamo soprattutto fare in modo che il dopo pandemia non sia come il prepandemia. Intendo dire... se tutti abbiamo giudicato questa fase una rivoluzione nelle nostre vite, cerchiamo almeno di usarla bene, questa rivoluzione, cerchiamo di uscirne con delle trasformazioni che ci diano progresso, occasioni di crescita. Altrimenti la pandemia ci avrà solo creato problemi che non riusciamo a risolvere.»

Dobbiamo anche tirar fuori la capacità di non attendere, dobbiamo muoverci davvero. Agire, afferrare lo spazio che meritiamo. «Il mondo è di chi se lo prende» mi scrisse una volta un saggio e prezioso amico.

«Non dimentichiamo che anche noi donne, noi stesse, siamo a volte attaccate ai nostri vecchi posizionamenti, ai nostri vecchi ruoli, e sembra che in molti casi facciamo fatica a staccarcene. Signore care, ragazze, se lo spazio che vogliamo non ce lo prendiamo, lo spazio da solo non arriverà.»

Messa così, la cosa mi convince, seguire l'onda che arriva, saperla gestire. E in fondo chi più delle donne è capace di adattarsi alle novità?

Accade così tra donne che vogliono parlare di donne, divincolandosi oltre il guado che separa serio e faceto, speranza e delusione, voglia di riscatto e fatica epidermica di ogni conquista.

La nostra conversazione sulla pandemia si trasforma in un colloquio intimo che affonda nelle ragioni delle nostre scelte e delle nostre vite, ma che diventa il canovaccio di una piccola rivoluzione delle cose possibili.

Viviamo in fondo anche un paradosso dal quale non è facilissimo uscire. Come donne vogliamo liberarci da alcuni obblighi, ma avvertiamo pure la necessità di non rinunciare ad alcuni ruoli. Io stessa ho avuto la fortuna e la forza di conquistarmi forme di indipendenza, ma mi accorgo che al ruolo di madre non so rinunciare. Se i miei figli hanno bisogno di mamma, devo esserci io. Sempre.

«Ti dirò. Mia figlia ha sedici anni e guida, perché qui a quell'età si prende la patente. E gestisce da sola tante sue necessità. Mettiamoci in testa che i nostri ragazzi sono figli e fratelli di Greta. Devono costruirselo loro, il mondo, non possiamo pensare di essere i loro eterni tutori. Del resto, non imparano la vita fino a quando non la vivono. E poi proviamo a essere anche un po' coerenti con i nostri obiettivi: come lo salviamo il mondo se continuiamo a crescere individui che magari buttano il cibo perché lo dimenticano in frigo?»

Ed ecco che siamo nel cuore di un tema caldissimo, la cura, per un figlio, un genitore o un compagno. Se ho capito bene, la sua idea è che un tempo la cura fosse una questione che la nostra cultura trattava come marginale, e che oggi invece affiora e diventa protagonista, torna al centro. Ma se parliamo di cura, parliamo inevitabilmente soprattutto di donne. E di nuovo dei loro obblighi. Un loop da cui è difficile uscire.

«Permettimi di far ricorso a un esempio indigesto. Se noi avessimo scelto di gestire la pandemia come ha fatto la Svezia, avremmo avuto morti per strada, non c'è dubbio. Avremmo fatto i conti con una quantità di decessi da Covid ancora peggiore di quella che abbiamo vissuto. Ma se consideriamo freddamente l'altro versante della faccenda, avremmo pure risolto il nostro problema demografico. Lasciare la pandemia libera di agire voleva dire perdere molti dei nostri nonni. Non è facile comprendere che avere un sistema sanitario come il nostro, che copre tutto di tutti a qualsiasi età, diventa insostenibile in una situazione emergenziale. Ora, se abbiamo fatto tanto per salvarli, non possiamo lasciarli nell'ombra, non dobbiamo e non avrebbe senso.»

Occorre un lavoro enorme dal punto di vista etico, perché mi pare che questo implichi un altro macigno culturale che deve essere scrollato dalle spalle delle donne.

E qui, cara Ilaria, bisogna fare una riflessione dura, politicamente scorretta: ci spelliamo le mani per applaudire i nostri eroi, infermieri, carabinieri, soldati che siano; cantiamo a squarciagola dai balconi; ci disperiamo per le bare di Bergamo e ci commuoviamo per la stanza degli abbracci nelle Rsa; piangiamo la morte dei nostri vecchi a qualsiasi età e in qualunque condizione siano e poi... nella normalità di tutti i giorni, li dimentichiamo abbandonandoli in ospizi angusti e con servizi a volte inqualificabili, destiniamo pochi spiccioli alle pensioni sociali, ci giriamo dall'altra parte al cospetto di un'anziana signora che rovista nell'immondizia. Insomma, la solita ipocrisia. Dopo il dramma, nel quale siamo eccellenti, arriva l'indifferenza, alla quale siamo ben allenati.

«Ma c'è di più, nella cultura degli italiani, c'è la convinzione assoluta che il Sistema sanitario nazionale sia, e debba essere, pienamente responsabile della nostra salute. Devono chiamarmi loro, devono farmi sapere loro, devono curarmi loro. Temo che questo non sia più possibile. No, la salute deve diventare un obiettivo di tutti noi. Dobbiamo vivere pensando che se ci va bene diventeremo anziani e dobbiamo diventare consapevoli che arrivare in salute a quel giorno dipende da noi, dai nostri comportamenti e dalle nostre scelte di oggi. Dovremmo evitare che sia il Servizio sanitario a occuparsi di noi, preparandoci a una vecchiaia sana, facendo in modo che il medico arrivi tardi, tardissimo, il più tardi possibile.»

Amo questo di Ilaria. Propone temi innovativi, quasi rivoluzionari con la calma e la dolcezza di chi coltiva rose in giardino. Solo dopo un attimo capisci il cambiamento che c'è dentro le sue parole. Ma in fondo è solo l'uovo di Colombo. Ci mostra quello che è veramente in gioco e che noi spesso non vediamo. Credo che mai abbiamo compreso davvero quanto pesino le scelte della nostra esistenza attuale sulla qualità dell'esistenza che avremo.

«E sono tante, Myrta. Scelte personali e scelte istituzionali. I nostri comportamenti alimentari, il nostro rapporto con una vita che non sia sedentaria, le decisioni dei governi di affrontare seriamente la questione dell'ambiente, della biodiversità e della salute: quando avverrà, questo modificherà le nostre vite. È questa la base della salute circolare.»

Dovremmo approfittarne proprio ora, visto che siamo nel bel mezzo dell'evento più misurato che mai sia esistito nella storia. Nuotare in mare aperto, tenendo sempre presente l'orizzonte, e sappiamo che noi donne, quando ci sentiamo travolte dalla corrente avversa, abbiamo la tentazione di ritornare al punto di partenza. Così come sappiamo che, quando devi scappare dalla tempesta ti rifugi nella prima caverna, senza guardare oltre. Perché il presente soffoca, e il futuro appare una chimera lontana.

«Sì, ma questa è la grande occasione, perderla sarebbe forse un crimine più grande delle macerie che ci lascia la pandemia. Smartphone, saturimetri, rilevatori termici e mille altri strumenti oggi misurano tutto e abbiamo a disposizione dati su noi stessi che altre epoche neppure sognavano. Se questi pezzi li mettiamo insieme, possiamo giungere a qualche risultato. Ma solo se capiamo da subito che la nostra salute è parte della salute del contesto che ci circonda.»

Fare, il potere delle azioni, oltre la seduzione delle parole.

Rosa quadrata. È la definizione che Ilaria ha voluto dare alle donne e al loro domani, all'epoca che possiamo costruire. Donne che tornano prima in ufficio, donne che affrontano meglio l'emergenza e fanno ripartire prima il mondo. Ma anche tanto fragili, e più siamo fragili più subiamo l'attacco di questa emergenza. E invece, secondo Ilaria, questo è il momento decisivo per prendersi ciò che ci spetta.

«Intanto partiamo dall'assunto che il principe azzurro non esiste. E dunque nessuno ci aiuterà, dobbiamo far da sole. Spesso si parla di leadership, anche per sottolineare ruoli di prestigio conquistati dalle donne. Non vorrei che quella femminile fosse soprattutto una "survivorship", cioè qualcosa da cui poi si rischia di venir fuori con le ossa rotte, con notti insonni, con ulteriore disperazione. Sogno una leadership femminile accettata come stile di leadership e basta, non come una condizione che produca ulteriori stress. Ora le donne devono dare l'esempio, e sono le poche leader donna a doverlo fare. Se aspettiamo le misure dei governi e le quote rosa, siamo perdute.»

Ha ragione, muoversi per non morire, muoversi per non restare immerse nella palude.

«C'è un solo modello da seguire. Fare. Non cadere nel fatalismo della contestazione. Se io sono capace, se io sono competente, allora devo mettere in gioco le mie risorse. Tanti studi ci dicono che dove c'è Gender Equity, il modello di sostenibilità cresce, ma cresce sensibilmente, in quei contesti c'è più pace, meno corruzione. E la partita si gioca adesso, Myrta.»

La sua rivoluzione della rosa quadrata mi convince, mi ammalia. Ha in sé i toni della dolcezza ma anche quelli della temperanza. La forma geometrica del quadrato ci indica la strada: controcorrente ma centrate, distanti ma con la mano tesa verso l'altra. Se viviamo la stagione dei cambiamenti, dell'occasione che questa mutazione genetica della nostra vita nel mondo ci offre, allora dobbiamo fare in modo che nessuna sia nemica dell'ascesa dell'altra. Non ci saranno sedie, per noi, ma solo sgabelli, finché non rivendicheremo il diritto di occuparci del potere, della politica, dell'economia, della scienza e dell'arte modificandone i paradigmi.

Il «lavoro» deve essere il nostro campo di battaglia. Perché altri passi indietro per noi saranno voragini per la libertà di tutti.

La salvezza ha un volto di donna

Özlem

E così una donna ci ha aiutato a capire l'incubo Covid quella notte a Codogno (e meno male che lo ha fatto), un'altra donna ci ha aiutato a muoverci e a salvarci quando la notte era più buia. Ma c'è anche una donna che ci ha aiutato a uscirne. Proprio quando le speranze sembravano affievolirsi, quando tutto si chiudeva intorno a noi, dopo un'estate che ci aveva dato l'illusione che tutto fosse finito. È una donna che ha un nome strano, difficile per noi: Özlem Türeci. È un nome turco, abbastanza diffuso e significa «nostalgia». È un nome turco, ma lei è europea, europeissima. È nata in un piccolo paesino anonimo della Bassa Sassonia in Germania. Il padre era un chirurgo turco che aveva deciso di seguire il sogno di una vita migliore, come tanti suoi connazionali in quel tempo. E così Özlem cresce in Europa, sa che questo per lei è una grande opportunità come scienziato e come donna. Frequenta medicina alla Saarland University di

Homburg, un'università piccola ma importante, dove prende il dottorato nel 1992. È durante questo periodo che incontra Uğur Şahin, anche lui di origini turche (la sua famiglia si è spostata in Germania quando aveva quattro anni). Le origini di Uğur sono più umili, il padre lavorava in uno stabilimento Ford di Colonia e a scuola i suoi risultati non sembrano destinarlo a una carriera folgorante (addirittura durante le scuole gli hanno sconsigliato di proseguire con l'università). Fortunatamente Uğur e la sua famiglia non seguono il consiglio. All'università si dimostra uno studente brillante, si dottora lo stesso anno di Özlem. Si conoscono, si frequentano e si innamorano. Si specializzano in studi oncologici. Hanno un sogno, un sogno grandissimo: un vaccino contro il cancro. Studiano il Dna e l'Rna del nostro corpo per capire come ci si possa immunizzare. Come spesso accade, non sanno che questi studi saranno utili molti anni dopo per qualcos'altro. Nel 2001 fondano la società Ganymed Pharmaceuticals che sviluppa l'anticorpo monoclonale zolbetuximab, che può essere utilizzato contro il cancro esofageo e gastrico. Nel 2002 si sposano. Dal 2008 al 2016 Özlem è Ceo della Ganymed e in pochi anni diventa una delle donne più ricche di Germania. Nel 2008 marito e moglie fondano la BioNTech con sede a Magonza. E qui la storia diventa nota, soprattutto in quest'ultimo anno. Alla BioNTech i ruoli si invertono: il Ceo è Uğur, Özlem è la presidente. In pochi anni costruiscono una delle aziende leader nel settore oncologico e immunoterapico. Ma nonostante la dimensione ormai internazionale, resta tutto un po' in famiglia. Te ne accorgi quando li vedi in qualche intervista o li ascolti in qualche convegno. Hanno un'intimità rara quei due. Solo chi l'ha vissuta almeno una volta nella vita sa di cosa si tratta. Qualcosa di sensibile, quasi di palpabile: quando uno dei due parla, l'altro è come se già sapesse cosa sta per dire, che espressione farà, che sensazione proverà. Forse è grazie a questo amore, fatto di piccole cose, di piccoli gesti che restano semplici e domestici nonostante si stiano trattando affari per milioni e farmaci che riguarderanno il futuro dell'umanità, che oggi abbiamo un vaccino. In laboratorio, come a una conferenza internazionale, pare sempre di essere a casa con quei due. E viceversa. Perché le idee più brillanti, a sentir loro, sembra siano nate sul divano in salotto.

Così anche per il Covid. È febbraio 2020. Uğur e Özlem sono comodi comodi a guardarsi un documentario che parla del terribile morbo che ha colpito Wuhan e la sua regione, l'Hubei. Tutto all'apparenza è lontano, nessuno crede ancora che questo strano virus, di cui si sa ben poco, arriverà a minacciare anche noi in Europa. Anzi, no, non nessuno. Özlem capisce subito che la minaccia è reale e vicina (un po' come Ilaria Capua). I cordoni sanitari salteranno, questo male non è come i precedenti, si diffonderà in tutto il mondo. Fa impressione pensare che, mentre tanti politici maschi si giravano dall'altra parte, dicevano «Non c'è da preoccuparsi», due donne, una italiana che vive in America e una tedesca di origini turche, stavano già pensando al futuro, quello vero.

Me li vedo. Özlem e Uğur avranno discusso del Covid nel lettone di casa, come noi discutiamo col nostro compagno su che vestito mettere per la cena dell'indomani o su chi deve portare i bambini a scuola. Özlem e Uğur, soprattutto, nel loro focolare domestico, non si sono limitati a discutere, si sono chiesti: cosa possiamo fare? Sanno che c'è una sola risposta a questa domanda: il vaccino. Decidono di mettersi subito al lavoro perché non sarà facile. E non sarà veloce. O meglio non sarà così veloce da impedire centinaia di migliaia di morti: quello no, è impossibile. Ma sarà abbastanza veloce da battere ogni record. «Ci vogliono due, tre anni per un vaccino sicuro» dicevano tutti i virologi del mondo. Loro ci hanno messo dieci mesi. È stato un lavoro massacrante: «Bisognava costruire dei vaccini forti. Avevamo bisogno di tanti candidati». Ne testano ben venti, poi li riducono a quattro. Infine, puntano tutto sul più promettente. «Lavoravamo su ipotesi» dirà Özlem «non c'è modo di capire se un vaccino funziona all'inizio, è una grande scommessa.»

Poi la gioia dei primi test: le persone vaccinate non sviluppano il Covid, quelle cui è stato dato un placebo, sì. È la svolta, non per la BioNTech, non per Özlem, ma per il mondo intero. «Eravamo semplicemente felici, quando quella domenica ci portarono i risultati dei test.» In meno di un anno questa coppia di immigrati turchi di seconda generazione con la passione per la medicina ha fatto l'impensabile. Ha prodotto il primo vaccino efficace contro il Covid, il primo grande sprazzo di luce dopo mesi di buio e dolore. Dieci mesi dopo quella mattina in cui, come una normale coppia di sposi, si erano messi a guardare il documentario sulla pandemia in Cina, il vaccino Pfizer era una realtà, approvato da tutti i board farmaceutici nazionali e internazionali.

Gli studi del 2021 ci hanno detto anche che il vaccino BioNTech è probabilmente il più efficace contro varianti e ricadute e ha effetti collaterali bassissimi. L'Europa, che aveva puntato tutto su AstraZeneca, come sappiamo, ha invertito la rotta e oggi la maggior parte degli abitanti del Vecchio Continente ha ricevuto uno dei vaccini scoperti da Özlem e Uğur.

Quando una coppia così balza agli onori delle cronache, è inevitabile che venga fuori il sessismo che è in noi, in tutti noi e ci pervade come una seconda pelle. È più forte di ogni verità in fondo. In Italia (e non solo) ho letto tanti articoli che davano a Uğur tutto il merito, che parlavano solo di lui. In altri giornali, bontà loro, Özlem veniva citata, ma era definita la «moglie segretaria». La segretaria... per molti la donna è sempre moglie, segretaria, portaborse, sempre un passo indietro.

E invece basta leggere la loro storia per capire che si tratta di un team nel lavoro come nella vita. Un team perfettamente rodato cui dobbiamo moltissimo. E cui probabilmente dovremo ancora molto: sempre nel tinello di casa, oggi, Özlem e Uğur ragionano su come mettere a frutto l'incredibile patrimonio di esperienza e dati accumulato. Su come da una tragedia far nascere un bene. «Il lavoro contro il coronavirus sarà decisivo per sviluppare una cura efficace contro il cancro.» E questa sarebbe l'ennesima bella notizia che ci viene da questa coppia all'apparenza così normale, così unita, così comune, che va al lavoro in bicicletta e che, ci racconta Özlem, non litiga mai: «Perché per litigare bisogna annoiarsi e noi non ci annoiamo mai perché amiamo la scienza e il nostro lavoro».

Ma Özlem è solo una delle donne che, in silenzio e senza clamori, ci ha dato una mano fondamentale per vincere la nostra battaglia contro il Covid con i vaccini. C'è Ilaria, ovviamente. Ma l'elenco è lungo, lunghissimo, impossibile da completare, ma qualche nome lo voglio fare, qualche storia la voglio tirare fuori. È come fare il giro del mondo. Al femminile.

Katalin Karikó, per esempio, che oggi è una delle maggiori candidate al Nobel per la medicina. Katalin è nata in Ungheria nel 1955, un anno prima della primavera di Budapest e della sanguinosa repressione sovietica. È dura fare ricerca in un Paese che non è libero, è dura perché la scienza non ha muri, non ha sbarre. E allora Katalin con suo marito decide che basta, che anche se ama la sua patria, anche se un posto all'università ce l'ha già, preferisce ricominciare tutto da capo in un Paese libero piuttosto di continuare sotto il controllo altrui. Così con suo marito, anche lui scienziato, vendono la macchina e il ricavato lo nascondono dentro l'orsacchiotto della figlia appena nata. Sono 1200 dollari americani, ed è tutto quello che hanno quando arrivano negli Stati Uniti. È l'inizio di una nuova vita, Katalin diventa uno dei biochimici più importanti del mondo, raccoglie premi su premi, e si specializza negli studi su Aids e su tumori. Lavora per molte aziende, tra cui AstraZeneca, ma alla fine sceglie anche lei la BioNTech di Özlem (di cui diventa vicepresidente). In questo ultimo anno per prima ha sviluppato la tecnologia alla base dei vaccini di maggior successo, quelli a mRNA.

Per AstraZeneca continua a lavorare Sarah Gilbert, la prima donna non tennista cui è stata tributata una standing ovation a Wimbledon. Era lì, qualcuno l'ha riconosciuta ed è partito un applauso sincero, collettivo. Perché effetti collaterali o no, il vaccino di Oxford ha salvato gli inglesi dalla catastrofe, quando i morti arrivavano a mille al giorno. E Sarah è stata la mente di quel vaccino: lei che è inglese fino al midollo, lei coi suoi capelli rossi così british, lei che è figlia di un'insegnante e un calzolaio del Northamptonshire e che ha preso a pugni la vita per migliorarsi sempre più nelle scienze e nel sassofono, la sua seconda passione. Lei, che dopo infinite ricerche sulle influenze, ha trovato il vettore adenovirale che stimola una risposta immunitaria contro la proteina spike del coronavirus. Un passo fondamentale per il vaccino.

In America, ci sono Lisa A. Jackson e Melissa Moore, che sono delle pioniere degli studi sull'Rna e che hanno sviluppato la tecnologia mRna e guidato i test del vaccino di Moderna.

In Cina (come può non esserci la Cina?), abbiamo Chen Wei, una generalessa cinese, che, nata nel 1966 negli anni della rivoluzione culturale di Mao, ha vissuto in prima persona un Paese che da arretrato e contadino è diventato una superpotenza anche nel campo delle scienze. Chen si laurea nel 1988 e nel 1992 entra nell'Esercito del Popolo. Va in Africa a studiare l'Ebola e altre malattie epidemiche. Ma viene anche eletta come delegata al Congresso del Partito comunista, il cuore del sistema politico cinese. Politica e scienze, un binomio che Chen porta avanti senza problemi, senza fatica, anzi. Nel 2020, è lei a guidare un team congiunto dell'Istituto di biotecnologia, dell'Accademia delle scienze mediche militari e di CanSino Biologics per sviluppare Convidicia, uno dei vaccini più usati e più promettenti. In Africa, per finire un tour potenzialmente infinito, c'è Heba Wali, direttrice di Vacsera, che ha scelto di continuare a indossare il velo perché la parità si può ottenere anche mantenendo le tradizioni e ora è a capo della società egiziana che sta sperimentando i vaccini cinesi per il continente più povero del mondo.

Dietro di loro tante altre donne, dottoresse, ingegneri, biologhe, che hanno lavorato e ci hanno salvato alla faccia di chi non credeva nel vaccino e di chi pensava e pensa che la scienza sia solo un affare di uomini.

Il vaccino è stata la nostra mossa del cavallo. Il nostro elisir di salvezza. Ma non era l'ultimo scoglio, come molti pensavano. Fatto il vaccino, bisogna somministrarlo.

2
Lottare

Gli anni spezzati

Luana

Ci sono donne che ti restano in testa anche se le hai viste in foto una sola volta, ci sono donne che hanno occhi profondi come mari sconosciuti e sorrisi luminosi come albe, ci sono donne che cambiano vita per amore, ci sono donne che con orgoglio ma con il nodo in gola rinunciano ai propri sogni perché donano la vita, scelgono di tenere un figlio anche se sono ancora delle bambine, anche se il futuro è incerto, anche se lui non c'è o potrebbe andarsene da un momento all'altro.

Ebbene, ti aspetti che il destino le premi queste donne, che la loro scelta sia ripagata nel futuro. E invece no. Perché ci sono donne che perdono la loro di vita, a soli ventidue anni, ingoiate da una fessura di 40 centimetri, proprio mentre sognano di tornare a casa a baciare il proprio figlio, mentre desiderano ancora l'emozione di quella notte fuori casa abbracciate all'uomo che promette il futuro, rivivendo quei momenti e sperando di mantenerli vivi e colorati per sempre...

Luana è una di quelle donne. Anzi, è esattamente quella donna. Morta a vent'anni come si moriva centocinquant'anni fa. Ingoiata da un orditoio, schiacciata in maniera terribile e oscena da una macchina industriale nell'Italia moderna e sviluppata del 2021... A Prato, in un'azienda tessile che dovrebbe essere un modello di sviluppo, un modello d'Italia da esportare. Sembra che lì dove Luana è stata risucchiata ci dovesse essere una grata, che però è stata tolta. Da chi? Perché? Ce lo diranno le indagini e le sentenze. Quello che resta però sono la rabbia e il dolore per una vita spezzata, letteralmente. Una vita che era piena di idee e di sogni. Un futuro che Luana immaginava altrove, certo non in quella fabbrica dove era costretta a lavorare perché con un figlio da crescere non si scherza. Un futuro che avrebbe potuto essere al cinema, alla televisione, nella moda. Era bella Luana, un po' lo sapeva, glielo dicevano tutti, e lei nelle sue pagine social non si nascondeva, era fiera della sua bellezza, come era fiera che quella bellezza non le fosse servita da scorciatoia nella vita. No, non l'aveva sfruttata, non era un punto d'arrivo, ma di partenza. Poi un rullo e una grata che non c'era hanno distrutto TUTTO. La morte non ti toglie solo quello che hai, ma anche tutto quello che potevi avere: soddisfazioni, gioie, vedere crescere il tuo bambino.

A noi che restiamo, quando sentiamo di una ragazza che muore così, in una pressa a ventidue anni, cosa rimane? Incredulità, pietà, rabbia. Soprattutto rabbia, almeno parlo per me. Parlo per quella mattina in cui mi sono alzata e ho sentito questa notizia. Quella mattina in cui mi sono chiesta per l'ennesima volta: si può morire oggi come centocinquant'anni fa? Si può morire di lavoro in un modo terribile, mostruoso, come se anni di battaglia non ci fossero stati?

Ma c'è una rabbia più sorda, più oscena, che da subito mi ha preso dentro. Io lo so perché la storia di Luana, per un attimo, ha riempito le foto dei giornali, i post dei social, i servizi dei telegiornali. Per il suo corpo giovane e bello, per i suoi occhi da top model, per il suo viso da annunciatrice tv. Per molti la notizia è stata questa. Che una ragazza tanto bella potesse morire così. L'ho sentita questa ipocrisia nelle pagine dei giornali, nei servizi televisivi. Per una volta non era un povero extracomunitario pagato in nero nei campi di pomodori, o un muratore senza tutele e protezioni o qualcuno di quelle centinaia di morti sul lavoro che ogni anno contiamo nel nostro Paese. No, era una ragazza giovane e bella a essere rimasta infilata dentro un rullo e questo faceva scandalo, faceva sensazione come un qualcosa di nuovo e incredibile. E invece nulla di più vecchio, i morti sul lavoro ci accompagnano da sempre come una litania, un vizio assurdo.

Una litania, che noi non ascoltiamo perché i morti li si conta solo quando hanno qualche segno particolare. Maurizio Landini, segretario Cgil, il giorno della morte di Luana stava partecipando a una importante riunione sindacale. Ma io volevo sentire qualcuno, qualcuno che mi spiegasse. L'ho quasi strappato alla riunione e in diretta gli ho chiesto: «Perché?». Mi ha guardato sconsolato. «Purtroppo, non dico che lo avevamo messo in conto, ma in verità sapevamo che, finita la pandemia, il ritorno alla vita normale avrebbe significato ripresa delle morti sul lavoro.» Perché le morti bianche, così le si chiama giornalisticamente – quando invece sono nere, nerissime – sono «normali», ci sembrano normali, anche se hanno il volto bellissimo di Luana.

Come ci ricordava Ilaria Capua, una pandemia non è solo fatta del conto terribile dei morti e dei malati. Dentro ci stanno milioni di persone che soffrono perché le loro condizioni lavorative sono peggiorate o perché hanno proprio perso il lavoro. E la pandemia non aiuta. Mai. Specie se sei donna e quindi immediatamente più esposta a perdere il posto. La donna è sacrificabile, è l'anello debole di un mercato del lavoro che vedeva permessi e gravidanze come un impaccio già prima del 2020, figuriamoci dopo. Ci attendono tempi duri. Finiti i pochi aiuti dell'emergenza, non è difficile immaginare che in tantissimi resteranno a casa non per il Covid ma perché disoccupati. Non è difficile immaginare che il tentativo di recuperare il tempo e i soldi perduti porterà a condizioni di lavoro sempre più inumane, a minori controlli, a maggiori «morti collaterali».

I dati dall'Istat ci dicono che in un mese, tra novembre e dicembre 2020, si erano persi 101mila posti di lavoro. E che 99mila di questi erano donne. Praticamente tutti. Vuol dire che il mondo occidentale, e l'Italia che di questo mondo fa pienamente parte, hanno una componente strutturale debole, debole perché ci ostiniamo a sostenerla e difenderla con tante parole, e con pochi, pochissimi fatti. E se poi allarghiamo lo sguardo all'intero anno 2020, vediamo che tre posti di lavoro persi su quattro appartenevano a donne. I calcoli Istat ci dicono che nel 2020 su 436mila persone che erano rimaste disoccupate 275mila erano donne. Due donne sono state licenziate a fronte di un solo maschietto. Il 2021 non sembra ci lascerà risultati migliori. Già nel primo trimestre la disoccupazione femminile ha galoppato con velocità doppia rispetto a quella maschile. Fra coloro che dichiarano di non cercare un lavoro perché ritengono di non riuscire a trovarlo 552mila sono uomini e 840mila donne. Insomma, tutto come prima, anzi peggio di prima.

No, non ne usciremo migliori. Ma forse ne potremmo uscire con qualcosa di più di un volto su un giornale. Di una ragazza che voleva fare l'attrice e invece è diventata un'immagine per una storia strappalacrime, buona a riempire una pagina o due dei quotidiani per un giorno. Ricordiamoci di Luana perché ci sono e ci saranno sempre delle donne che si perdono, che lottano, che non si fermano davanti a nulla... donne che lottano sul filo fra la vita e la morte e di cui non sappiamo niente, donne che hanno fatto un nodo per ogni loro lacrima... sperando che arrivi qualcuno a scioglierli... a salvarle.

La vergogna e il bisogno

Loredana

«Al momento, la scuola è ricominciata e io non ho neanche i soldi per mettere la benzina e arrivare finalmente al lavoro. Non avessi i miei genitori non saprei come andare avanti.»

Poche parole. Chiare, scarne, asciutte, terribili. Parole a cui è difficilissimo aggiungere qualcosa che non appaia superfluo. Eh sì, perché Loredana ha quarantacinque anni, un figlio di quindici, è sola, e questa è la sua storia in poche battute.

La sua lettera mi è giunta nel settembre del 2020 e Loredana raccontava di aver perso il suo lavoro di educatrice e di essere senza cassa integrazione da sei mesi. Chiariamo bene, non stiamo parlando di diritti legati a vaghe istanze femministe, parliamo di sopravvivenza, parliamo del tramonto della dignità. E questo tramonto, signore e signori, sembra inevitabilmente calare soprattutto sulle donne.

Loredana non è un'astrazione, Loredana è una donna vera, con una vita vera che istante dopo istante le procura bisogni, certezze, paure, esigenze, dubbi, scelte, slanci, miserie. È da mesi che non percepisce la cassa integrazione, capite cosa vuol dire questa semplice frase? Vuol dire che la sua esistenza è improvvisamente annullata, schiacciata da quello che a molti appare solo come un odioso ritardo, un intoppo nei tempi della burocrazia. Loredana è stata collegata con noi, e abbiamo voluto starle accanto anche quando si è rivolta all'Inps nella speranza che finalmente quell'intoppo si risolvesse. La verità è che nel giorno in cui la tua difficoltà diventa disperazione, la luce si spegne, e spesso si spegne davvero, perché anche le bollette, soprattutto le bollette, diventano un incubo dal quale non esci.

C'è un terribile paradosso, in tutto questo. Ed è la vergogna. Non dell'Inps. Certo che no, di solito l'Inps non si vergogna. È Loredana a vergognarsi, e le migliaia e migliaia di donne come lei. Sono le vittime, eppure sono anche coloro che provano vergogna, come se vivere l'abbandono e la disperazione fosse una sconfitta, come se fosse l'istante della resa, quello in cui sei costretto a dire al mondo, a chi ti sta accanto e magari conta su di te: «Io non ce la faccio, io adesso non ho davvero più nulla».

È strano il pudore, il pudore di tutti noi. Abbiamo imparato a identificare la vita come una battaglia, e così spesso abbiamo pensato di combattere, ma nei momenti in cui non abbiamo strumenti per proseguirla, quella battaglia ci sembra di averla persa. Anche quando nulla dipende da noi, anche quando gli strumenti per andare avanti, le nostre competenze, la nostra buona volontà quotidiana, ce li hanno semplicemente tolti di mano, impedendoci quasi di esistere. Loredana è una ragazza madre, ma ha almeno la fortuna di poter ricorrere ai genitori, ai quali ha dovuto confessare che non ha più un lavoro e che la cassa integrazione se ne infischia delle sue necessità quotidiane, chiede di aspettare, aspettare, aspettare. E la spesa per poter mangiare? E la benzina per l'auto con la quale accompagnare il figlio a scuola, nei giorni in cui la scuola riapre? Spesso la dignità è nei mezzi per sopravvivere, quando vengono a mancarti a volte nemmeno hai la voce per poterlo raccontare, perché d'improvviso ti accorgi che anche un cellulare fa parte della battaglia, ma ti aiuta solo fino al giorno in cui paghi la ricarica.

Il ritardo nei pagamenti della Cig, quelli già fissati, può arrivare a tre, anche quattro mesi. E le donne come Loredana come vivono quei mesi? Quei giorni sono vita, vita che se ne va. In che modo metterai il piatto a tavola in ciascuno di quei giorni, solo perché tu e tuo figlio possiate mangiare?

Loredana, nelle settimane che precedono le grandi chiusure, lavora in una scuola che con il lockdown rigoroso della primavera 2020 chiude subito, come tutte le altre, dunque ciò che guadagna dalla sua professione non rallenta, non ha contrazioni, come accade a tanti. No, a lei sparisce del tutto, immediatamente, da un giorno all'altro. Quel lavoro lo ha inseguito, ha studiato per ottenerlo, crede che resterà il sostegno della sua vita e per un po' anche del figlio a cui deve badare. Ma proprio quel lavoro all'improvviso si dissolve. La cassa integrazione è perciò tutto quel che resta per vivere, almeno in teoria, se quel denaro che deve venire in aiuto rispettasse i tempi. Quel denaro però non arriva, avevi immaginato di dover dedicare la tua vita al lavoro e a coloro che ami, e invece una mattina ti ritrovi negli uffici dell'Inps, a reclamare soldi che in realtà dovrebbero già essere in casa tua, soldi che sono un diritto sacrosanto, il diritto di un contribuente rimasto senza lavoro. Chi tiene conto della tua umiliazione? Chi pensa che la dignità sia anche nel diritto di non dover chiedere, di non doversi accodare a uno sportello mostrando tutto il tuo vulnerabile bisogno, di mettere a nudo la necessità di sopravvivere? Tra l'altro, racconta Loredana, la condizione di percettrice di cassa integrazione le ha fatto perdere anche gli assegni familiari. È il solito labirinto burocratico italiano. E così non arrivano né l'una né gli altri, e lei non prende nient'altro.

Sì, dopo un paio di mesi qualcosa finalmente arriva, ed è lo stretto necessario per nutrirsi e pagare le bollette arretrate che premono. Poi di nuovo una pausa nei pagamenti, l'ennesimo tragico intervallo. Un giorno di settembre il governo sblocca parte delle chiusure, le scuole riaprono, riapre quella che il figlio quindicenne di Loredana frequenta. Bene, si torna a una vita che potrebbe essere un po' più normale. Non per

Loredana, e per nessuno di quelli finiti in una trappola come la sua. Occorrono i soldi per la macchina, per mettere la benzina, e quei soldi adesso non ci sono. Non può chiederli ai genitori, non può chiederne ancora, non ne ha la forza. Si è già rivolta a loro per far la spesa nei mesi precedenti, quando non le è rimasto nulla nemmeno per mangiare.

Questa non è una storia di denaro, e non è una storia di denaro che giunge in ritardo. Questa è una storia di violenza, perché Loredana è torturata ora dopo ora dalla paura di non farcela. Nel giro di qualche mese, i suoi freschi quarantacinque anni diventano tanti di più. L'angoscia che nasce dall'assenza improvvisa dei mezzi per sopravvivere le appare negli occhi, anche quando si sforza di nasconderla, anche quando preferisce mostrarsi comunque con un sorriso, perché ha un ragazzino accanto e vuole che almeno lui non capisca tutto, vuole che i giorni continuino a sembrargli più o meno normali, malgrado nei loro giorni di normale non ci sia quasi più niente. È così che sfiorisce la dignità, ed è così che impedisci a una donna di coltivare sogni, progetti, speranze. È così che Loredana si presenta disarmata e indifesa davanti alla mia telecamera e mi buca il cuore.

È così che si affida con fatica e pudore alla televisione per gridare, è così che mette in un angolo il disagio e sceglie di lottare. All'improvviso sente che la sua non è una sconfitta di cui vergognarsi, ma una ingiustizia contro la quale agire. So bene che non è facile decidere di esporsi e raccontare in pubblico quel che Loredana ha deciso di raccontare. Ed è lì però che la sua vergogna si è trasformata, ed è diventata dignità, esattamente quella che le istituzioni le stavano negando. Lei quella dignità se l'è ricostruita da sola, ha spiegato anche che tutto questo non è giusto, che ciò che le spetta intende ottenerlo, e che è giusto che arrivi in fretta a tutte quelle che vivono la sua stessa attesa drammatica.

Sei una mamma, Loredana, e una donna senza alcuna colpa. Ma con tanto coraggio.

La nuova schiavitù

Ljuba

Lo stesso coraggio che mi ha conquistata nell'immagine di Ljuba, quando è comparsa in una fredda e grigia mattina invernale nel mio collegamento dal polo logistico di Bologna. È bella Ljuba, è giovane, è sciupata e soprattutto tiene stretto al collo il suo bambino incappucciato e addormentato. Mi sembra subito una moderna Madonna sofferente.

Poi racconta: «Un giorno l'azienda mi ha imposto un turno che inizia alle cinque e mezzo del mattino. Da quel giorno non potevo più essere madre. Dove lascio a quell'ora mio figlio di due anni? E a chi lo lascio? Oppure devo rinunciare al mio lavoro. E poi come mangiamo lui e io?».

Ecco, lo abbiamo imparato in questi lunghi mesi, il Covid ha mille armi per colpire.

Uno degli universi che ha corroso, che ha inquinato, è ovviamente quello del lavoro. E il lavoro per Ljuba è diventato una trappola infernale. Qualcuno un giorno le ha fissato l'inizio del turno di lavoro alle cinque e mezzo del mattino. Quando una donna sola si ritrova con l'obbligo di rispettare un orario simile, e un figlio piccolo che intorno alle otto andrebbe accompagnato al nido, cosa può fare? E come può andare avanti?

Mentre lei mi parla, mi racconta triste ma combattiva quella storia senza senso, guardo suo figlio immerso in un sonno che pare profondo, e che però ogni tanto viene turbato, infastidito forse dalle nostre voci, o forse dal ricordo di quella sveglia tanto crudele anche per lui.

Ljuba è giovane, ancora una ragazza, è venuta in Italia a cercarsi il futuro, è forte, ha voglia di lavorare, non si risparmia. Ma poi si ritrova con quel bambino in braccio, e scopre all'improvviso che le disposizioni sono cambiate, la novità è l'obbligo di iniziare il turno di lavoro quando è ancora notte. Cos'ha sbagliato, Ljuba, di cosa è colpevole? L'anno del Covid è stato difficile per tutti, comprese tantissime aziende, sappiamo che molte sono in ginocchio, e che purtroppo non riapriranno. Ma ce ne sono altre che hanno prosperato, alcune hanno visto salvi i propri profitti, altre hanno distribuito dividendi ricchissimi. Il business della sua azienda col Covid ha cominciato a volare, la consegna di pacchi a domicilio ormai è la normalità. I pacchi arrivano sempre più veloci, lo sappiamo bene, rimaniamo stupiti a ordinarli all'ora di cena e vederli al mattino sull'uscio di casa. Dentro quella velocità che ci lascia sbalorditi c'è la vita di Ljuba. Lei probabilmente sa pochissimo di dividendi, e certamente non sono il suo problema. Lei vorrebbe soltanto uscire da quella morsa in cui l'hanno incastrata. E sì, lo devo dire, siamo di fronte al classico problema, una donna colpevole di essere donna, colpevole di essere madre. «Ho detto ai capi in azienda che sono disposta a coprire qualsiasi turno, qualsiasi. Ma che a quell'ora del mattino non so veramente come fare.» Non rivendica alcun privilegio, solo la possibilità di accompagnare ogni giorno suo figlio al nido. Nient'altro che questo. A me, intanto, con quel viso sottile e delicato, con quel bambino tra le braccia, che comincia a piangere e agitarsi, sembra sempre di più la versione moderna, reale, terribilmente reale, di un'antica Madonna.

Ma lei continua implacabile: «Mi hanno risposto che se la loro organizzazione del lavoro e le loro scelte non mi vanno bene, posso sempre licenziarmi. Certo, e poi come vivo? Come do da mangiare al mio bambino?».

E sono rimasta lì come una cretina, parafrasando Ornella Vanoni, ascoltando quelle parole che sembravano arrivare da un altro tempo. Credevo che con temi simili non dovessimo più confrontarci, credevo che l'Ottocento, le condizioni terribili in cui si sono trovati tanti operai durante la Rivoluzione industriale li avessimo lasciati definitivamente alle nostre spalle, credevo davvero che questioni del genere non ci riguardassero più in alcun modo. Mi sbagliavo, purtroppo mi sbagliavo.

Oltre i titoli, le persone

Natascia

Siamo i nostri pensieri. Troppo spesso siamo i nostri cattivi pensieri. Siamo cioè sempre e solo noi, con le nostre opinioni, le nostre credenze, i nostri giudizi. Che a volte sono pregiudizi. Lo siamo anche noi giornalisti, che pure dovremmo essere obiettivi, oggettivi, equidistanti. Ma non è così. E forse è giusto. Il giornalismo troppo anglosassone non mi è mai piaciuto, io voglio il pathos, voglio che si senta l'umore e l'amore delle notizie. Quindi sì, le storie di questo libro sono mie, mi rappresentano. Le ho scelte perché mi hanno appassionato fra le mille che ho visto e sentito in questo ultimo anno. Le ho scelte perché mi hanno colpito più di altre, perché queste donne le ho avvertite più vicine, più «sorelle». L'empatia nulla toglie all'onestà intellettuale. Ma certo ti fa vivere ogni vicenda come qualcosa che profondamente ti riguarda. La storia di Natascia parte sghemba, sotto un titolo che non promette nulla di buono, ma poi proprio come «certi amori» fa un giro immenso e ritorna al cuore.

Con lei, con Natascia ho capito quanto le nostre idee e i nostri giudizi abbiano il dovere di incontrarsi con quelli dei nostri interlocutori. Oltre ogni interpretazione semplicistica. Ed è così che è andata con Natascia ed è per questo che l'ho messa qui. Perché mi sono sbagliata, perché il pregiudizio a volte è forte, ma una storia, se si ha la pazienza di ascoltarla fino in fondo, è più forte ancora.

Ve lo voglio confessare: ho considerato alcune manifestazioni per le aperture durante la pandemia violente e sgangherate. Sì, certo, capivo i disagi, capivo le urgenze economiche, ma quelle urla e quella disubbidienza stonavano tanto con le immagini degli ospedali nei quali morivano a centinaia, e dove a migliaia lottavano fra la vita e la morte. Così la variopinta carovana di «Io apro», che in varie città rivendicava il diritto di tenere aperti locali e negozi anche in lockdown, spesso e volentieri mi faceva arrabbiare.

Troppe ambiguità, troppe voci stonate, troppe voci infiltrate: no-vax, no-mask, fascisti, sfascisti e casinari di professione. No, avevo ancora negli occhi le immagini di Bergamo, le storie dei morti di Covid per poter sentire una qualche vicinanza con queste persone.

È successo così che quando ho incontrato lo «sciamano» della protesta, con il berretto con le corna come Jack l'americano, il seguace di Trump che aveva guidato l'invasione del Parlamento a Washington, non sono stata obiettiva. Ho pensato che a questa gente era meglio non dare voce, che in fondo non rappresentavano nessuno. Eppure persino lo sciamano italiano, dismessi l'insulso copricapo e l'atteggiamento da bullo, mi aveva fatto confessioni vere: un progetto di vita spezzato, un matrimonio fallito, una nuova storia d'amore nata con tante speranze, il mutuo, i sacrifici e poi il buio.

E proprio mentre cercavo di dar forma e nome a quella piazza urticante ho incrociato, quasi per caso, gli occhi di lei, Natascia, dall'altra parte della telecamera.

Natascia Barducci, quarantotto anni, titolare dell'agriturismo Capra e cavoli, a Montiano, in provincia di Forlì-Cesena, aveva il volto pallido, segnato eppure bello e spavaldo di chi ha sofferto e non tanto per se stessa ma per quelli che ama.

Una specie di Anna Magnani dei giorni nostri, capelli tirati alla meno peggio, senza trucco, occhi profondi e intensi. E quel pallore. Il pallore della fatica, della stanchezza delle notti in bianco, dei pensieri che non ti danno tregua.

No, decisamente no, lei non poteva essere una provocatrice, una «infiltrata di estrema destra» che se ne infischiava del dramma del Paese.

E subito mi sono chiesta: cosa c'è dietro? Qual è la battaglia che non conosco che si porta addosso? Quale è la scintilla, la molla?

Voler capire...

La chiamo, la voglio sentire personalmente, voglio parlare da donna a donna.

«Ho aderito alla protesta #ioapro. Ho aperto a gennaio durante la prima ondata di protesta. Poi ho riaperto di nuovo il 7 aprile. Porto avanti la mia battaglia e non mi fermo e sai perché, Myrta? Perché non ho alternative: o apro o finisco in mezzo a una strada e muoio di fame. Non ho più soldi, ho diecimila euro di debito con il proprietario dell'immobile del mio agriturismo e ottomila di verbali non pagati. E quel che è folle è che in tutto dai ristori ho ricevuto cinquemila euro.»

Troppo poco, mi dico.

Davvero troppo poco per chi sta perdendo tutto. Mentre parla sento la sua grande dignità, il suo pudore a condividere questa battaglia con persone che magari ci sono dentro solo per avere un po' di visibilità politica.

Lei che è lì soltanto perché non le è stata data altra scelta.

«Ma io non chiedo ristori, chiedo di lavorare. Rispetto tutte le regole igienico-sanitarie, non vedo perché gli autogrill o i bar degli ospedali possano rimanere aperti e noi no. Se i contagi sono aumentati nonostante le chiusure, vuol dire che questa non era la strada giusta.

«I clienti sono stati una seconda famiglia, mi hanno sostenuta, si è creata una vera solidarietà.

«Uno di loro mi ha persino regalato un impianto per la sanificazione dell'aria. In una delle serate in cui ho voluto aprire nonostante la zona rossa avevo quaranta persone. Erano consapevoli del fatto che avrebbero potuto essere multati ma sono venuti lo stesso. Sanno che io rispetto tutte le regole e che possono stare tranquilli dal punto di vista del contagio. Anche alcuni colleghi mi hanno appoggiata nella battaglia, altri invece mi hanno dato addosso perché andavo contro la legge. Rispetto le opinioni di tutti, ma io quelli che protestano in piazza li capisco al 100 per cento, sono disperati, non ne possono più. Esattamente come me.»

Un agriturismo, il suo sogno, e a quasi cinquant'anni, dopo tanti anni di lavoro – «Ho iniziato a lavorare a tredici anni» mi dice con la voce che trema – arriva l'occasione e Natascia investe tutto quello che ha. «Ricordo ancora la gioia e l'emozione della festa per l'inaugurazione, e poi, meno di un mese dopo ho dovuto chiudere per il lockdown. Una mazzata pazzesca, avevo investito tutti i miei soldi. E ora la banale verità è che non ho più nulla, che devo per forza lavorare o muoio di fame. Io ci vivo anche nell'agriturismo, ci vivo con mia figlia, non posso permettermi di perderlo. Sono rimasta anche senza gas, senza acqua. Ci siamo lavate per quattro giorni con le bottiglie dell'acqua.»

Quattro giorni senz'acqua. In Italia, nel 2021. Sono cose che anche se le senti fai fatica a crederci. E io mi chiedo, senza esprimere pareri manichei, se non sia una sconfitta per tutti, in primis per lo Stato, che oggi una madre sia costretta a scegliere tra l'acqua corrente in casa e il cibo da mangiare. C'è una logica perversa e tremenda che non possiamo fare finta di non vedere. Una logica che ha schiacciato Natascia, ma più ancora ha schiacciato sua figlia. Eh sì, perché c'è qualcosa che le trema negli occhi e le si rompe nella gola ogni volta che nomina quella figlia fragile e adorata. Sento che è quello il segreto di Natascia, la sua forza ma anche la sua più terribile paura. La figlia è la figura che aleggia in ogni suo ragionamento, probabilmente in ogni suo pensiero.

E allora approfitto di un momento di pausa e le chiedo: «Cosa c'è che non va con tua figlia?».

«Mia figlia non sta bene» dice quasi come se fosse una vergogna. «Sono una madre, come faccio? Tengo aperto per forza. I cinquemila euro che mi sono arrivati non mi bastano. Peraltro, la mia attività è stata aperta solo dal 12 febbraio all'8 marzo scorso, quindi per me i ristori sono pochissimi. Ho investito tutto, anche quei pochi risparmi che avevo. Non ero ricca, ma facevo una vita dignitosa. Ora sono una persona che non ha più nulla. Apro per affrontare le spese vive. Ho dovuto vendere dei gioielli personali, che erano stati regalati a mia figlia per i suoi diciotto anni. È lei che ha insistito, io avevo mille remore. Li abbiamo venduti per due spiccioli, ma servivano anche quelli.»

Si percepisce quanto le pesi dire queste cose, mettersi in mostra, persino lamentarsi. Si intuiscono le discussioni, i pianti, le amarezze, i segni su quel volto bello e appassito anzitempo.

«Avessi potuto scegliere, forse avrei scelto altro. Ma io non ho scelta. Mia figlia Asia ha dei problemi me-

dici, doveva fare delle visite importanti e costose. E
così ho aperto pensando che almeno avrei racimola-
to i soldi per le visite. Questa esperienza mi ha cambiato in modo definitivo, traumatico. Neanche la se-
parazione dal mio compagno mi ha procurato tanto
dolore. Oggi sono una madre che non può mangiare
una pizza fuori con sua figlia. Di notte non chiudo occhio perché non so dove diavolo trovare i soldi.»

Natascia ora è nuda davanti a me, ha squadernato
il suo dramma, mi ha aperto il suo cuore di mamma
più profondo di un abisso e più forte di qualunque
paura.

Le multe, le critiche, la riprovazione, cosa sono rispetto a quel sentimento da tigre che le impone di proteggere il suo cucciolo?

Io penso e intanto lei continua imperterrita nel suo
racconto.

«Ci sono ventun ettari di terra e sono sola, prima
eravamo in otto. Io ora non posso permettermi personale. Sono devastata anche fisicamente e non so se
avrà un senso tutto questo lavoro. Sono una, faccio il
lavoro di dieci e non ho neanche un soldo da spende-
re, solo debiti da saldare. Con l'incasso di quelli che
vengono nonostante la paura delle multe, sono riuscita a dare un acconto ai fornitori, a fare la spesa, a tirare avanti insomma. Ma così è una lenta agonia.»

Un piccolo mondo che si sfalda, e attorno a lei ce
ne sono tanti altri che rischiano di sfaldarsi in una sequenza drammatica. «Molti fornitori non possono
aspettare perché anche loro sono in difficoltà, tutto è

una catena. E devo sperare che non mi mandino via quando sbloccheranno gli sfratti. Perché sono indietro con l'affitto di mesi. Ma oggi non avrei i soldi per affittare una casa. Ieri mi è arrivata una mail di una persona che procederà per vie legali perché non l'ho pagata, ma io dove li prendo i soldi?

«Ha anche ragione, ma non so come fare. A volte stacco il telefono, per non ricevere di queste chiamate. E così perdo anche la salute, oltre al sonno.»

È l'esasperazione che l'ha portata qui da me, in televisione, davanti a milioni di persone. Ma la sua storia non è inutile. Ci fa aprire gli occhi, perché a volte anche le proteste che ci sembrano eccessive, sguaiate, folkloristiche o violente nascondono storie molto dolorose.

«Guarda, Myrta, dover andare in tv a raccontare i propri guai non è facile, ma ho capito che era necessario. Le persone devono capire. Io non sono mica una negazionista. Ma ho bisogno. Sono stati multati cinquantotto dei miei clienti, ma loro vengono per supportarci. Io ho fatto ricorso anche per loro. Esco in sala, ogni volta è una emozione, perché mi fanno l'applauso per il coraggio di aprire. Ogni volta mi commuovo. Mia figlia mi appoggia, lei è una ragazza molto riservata, molto dolce e mi fa tanto male pensare che non sta vivendo perché non ci sono soldi.»

Adesso è difficile fermarla, quando parla dei figli mi sembra quasi che cambi la voce, va veloce come un treno, come se buttasse fuori l'ansia che ha dentro.

«Ho anche un figlio a Rimini, Tobia, che ha quasi trent'anni e ha una palestra chiusa da un anno. Siamo una famiglia sfortunata. Io l'ho visto scommettere su se stesso e vincere, perché lavorava benissimo e ora lo vedo depresso. Da madre è atroce. Asia mi dice che vuole lasciare l'Italia perché non vuole vivere in un Paese che tratta così le persone.»

Insiste. Non vuole pubblicità. Non vuole guidare movimenti o diventare un simbolo. Ogni cosa che dice e fa la dice e la fa con il pudore di chi ti svela un segreto. Come quando mi racconta ancora della figlia, della malattia e delle cure.

«A dicembre il neurologo mi consiglia una risonanza perché lei soffre da sempre di un'emicrania particolare, da lì una serie infinita di visite e risonanze alla testa, le viene trovata una ciste in testa, appunto. Stavo per morire di paura. Due risonanze, endocrinologo, neurologo, esami del sangue, tutto a pagamento. Non potevo non riaprire, ho fatto la scelta più giusta e logica: è mia figlia e io vivo per lei.»

È un tunnel quello di Natascia. Anzi, un buco nero, da cui è difficile uscire. Le cure, le analisi, la malattia della figlia. Lei ci prova a essere razionale. Mi dice le cifre una per una. Cifre alte per chiunque. Esami complessi.

È sola Natascia. «Io non ho un marito, un compagno, sono sola, è lei il mio angelo. Bella, solare, intelligente, con tutta la vita davanti a sé. Io voglio solo che lei abbia un futuro. Ora non ce l'ha. Pesa quaranta chili ed è da mesi chiusa in casa.»

È la madre che parla e quando parla una madre non ci si può girare dall'altra parte.

La guardo mentre si tormenta le mani, sembra ancora più pallida, ancora più magra. Ma è tesa e forte come un filo d'acciaio. Riesco quasi a vederlo, in controluce.

E di nuovo mi fa pensare ad Anna Magnani, a quel capolavoro che è *Bellissima*. L'amore di una madre che non si ferma neanche davanti a una evidenza, che sfida il mondo e le sue regole.

Lo so bene io che sono madre e non smetto di pensare di pancia. Io che le ho intervistate, le mamme che hanno salvato il Paese.

«Da madre non mi frega nulla dei verbali, mi hanno distrutto la vita. Mia figlia mi ripete: "Mamma, mi dicono che devo stare tranquilla, basta tenere tutto sotto controllo". Ma io lo sento che sta male: una ragazza è morta con il suo stesso problema e quando tu da madre lo vieni a sapere, un poco muori dentro. Come possono fare tutto questo? Come può lo Stato farmi questo? Io sono sempre stata una cittadina onesta.»

Natascia mi ha chiesto di non rendere pubbliche alcune cose che mi ha confidato privatamente, fuori onda.

E io forse adesso sto, almeno un po', infrangendo il suo segreto.

Ma credo non ci sia nulla da nascondere. Credo che la sua verità possa aiutare altri come me a non giudicare subito, a non chiudere la porta e gli occhi al dolore che ci circonda, alla crisi nella quale siamo ancora immersi.

«Io penso che perderò questa battaglia, lo so, e mi commuovo a pensarlo, ma penso sia giusto provarci. Almeno questo. E se mi chiudono? Oltre a non saper dove andare, a cinquant'anni cosa faccio? Ho avuto amici che mi hanno fatto collette e mi hanno aiutato, almeno questo... le persone sono belle. Sarebbe stata ancora più dura senza di loro.»

Le sue ultime parole sono di quelle che ti mettono i brividi. Una pietra tombale sull'«andrà tutto bene» con cui ci siamo illusi per mesi. Una pietra tombale anche sui miei pregiudizi che si infrangono sugli scogli della realtà. La disperazione contiene dei doveri, il primo è quello di lottare per te e per i tuoi figli. E quello mette in stand by tutto il resto, cambia le carte in tavola.

L'Istat ci dice che nel 2020 le povertà in Italia è salita, molto. Sono 5,6 milioni le persone che vivono sotto la soglia di sussistenza. E ci sono 335mila nuclei familiari che non ce la fanno più. Persone, uomini e donne, che fino a qualche mese fa avevano una vita tranquilla, dignitosa, avevano imprese e dipendenti e ora usano le bottiglie d'acqua per lavarsi, vendono i loro ricordi per pagare i debiti che si accumulano. Qualsiasi forma scelgano per farsi sentire diventa così comprensibile. Qualsiasi piano istituzionale, lo si chiami di rinascita, di resilienza, di ripresa, deve partire da loro.

Io ti ringrazio, Natascia, perché mi hai fatto fare un viaggio, il più bello di tutti, quello che si compie per capire l'altro, per non arroccarsi nel proprio ombelicale punto di vista. Ti sento vicina ora che mi saluti con una forza che non vacilla nonostante tutto.

«Da mamma, non mollerò mai, Myrta.»

Natascia, ci sono, sono arrivata a destinazione: la comprensione piena, da cui nasce la sorellanza. Grazie della tua lezione. Oltre i titoli, ci sono le persone. E io voglio guardarle negli occhi.

La vita rubata dall'algoritmo
Monica

Confessiamolo. L'anno passato l'abbiamo fatto tutti. Non eravamo abituati a vedere dismesso, disattivato, il nostro rapporto umano con i negozi: entrare, salutare, provare, specchiarsi, lasciarsi persuadere. Tappati in casa, chiusi nel nostro perimetro domestico, con lo spettro della zona rossa anche nel cuore. Le città deserte e le saracinesche mute. E il bisogno di una gonna, di un paio di scarpe, di un libro. A volte perché servivano. A volte solo perché volevamo sentirci vivi.

Andare su Amazon e comprarci qualcosa, quasi fosse una piccola ricompensa, era un modo per ritornare alla normalità. Fare shopping. Cliccare, poi, dopo qualche ora o dopo qualche giorno, sentire il citofono suonare.

Ma ve ne siete accorti? Siamo circondati da ombre, corrieri anonimi che capita persino di non salutare. La diffidenza, la paura, l'ansia di dover richiudere in fretta la porta dietro le spalle, scrollandoci di dosso

119

anche la residua polvere di umanità. Niente sorrisi, ci sono le mascherine. Fantasmi che appaiono e scompaiono. Fantasmi come Monica, quarantacinque anni, originaria di Caserta. Una donna che dal Sud è andata al Nord perché di lavoro giù non ne trovava. Una storia come tante. Una figlia di dieci anni e una di sedici. Un fantasma che però bussa alla mia porta con una lettera che non posso ignorare.

«Sono sposata, mio marito pure lavora a turni, quindi alla fine a casa finisce che devo esserci più io. Sono in Amazon da tre anni, prima lavoravo in una mensa da dieci. In questo nuovo lavoro ho dovuto scegliere di fare un part time (1200 netti, comprensivo di trasferta che è 12 euro al giorno) perché il full time (lì si arriva a 1600/1700 netti) non sarei riuscita a farlo. La vita sul furgone è dura. Molto dura. Solo pochi giorni fa ho avuto un incidente. Ero ferma e due macchine mi sono venute addosso. Ora sono tutta fasciata, ho battuto la testa. E quindi sono in malattia. In questo caso, pagherà l'assicurazione della ragazza perché la colpa è loro. Ma non è sempre così. In altri casi, quando facciamo un graffio al furgoncino, lo scalano dal nostro stipendio che, con il sistema della franchigia, può arrivare fino a 750 euro di penale. In quei casi è come non percepire proprio lo stipendio. Penso sarebbe giusto avere un'assicurazione che copra queste spese.»

I numeri di Monica sono decisamente diversi da quelli roboanti che leggiamo sui giornali. Le cosiddette web company hanno visto aumentare il loro volume d'affari in modo esponenziale durante le chiusure. Amazon, per esempio, la più grande compagnia di delivery ed entertainment digitale al mondo ha raddoppiato le sue transazioni nel 2020. L'azienda ha generato ricavi per 108,5 miliardi di dollari nel primo trimestre del 2021. Il suo presidente e fondatore, Jeff Bezos, ha un patrimonio di 205 miliardi (che lo colloca al primo posto fra gli uomini più ricchi della Terra). Numeri da capogiro. I grandi manager dell'informatica e del digitale hanno scalzato da qualche anno petrolieri e capitani d'industria. Ci sta. Ci sta meno però che in questo fiume di miliardi galleggino diritti opachi e tanto invisibile sfruttamento. Un'azienda che macina centinaia di miliardi di fatturato e chiede il risarcimento a una dipendente per un graffio al furgoncino. C'è qualcosa di terribilmente stonato, no?

«Io non mi lamento, forse è anche normale che se faccio un danno lo ripago a mie spese. Però poi ci sono i nostri ritmi, ritmi forsennati dettati dall'algoritmo. L'algoritmo è tarato sulla massima efficienza, ma non può calcolare il traffico, gli eventuali incidenti che incontri lungo la strada; non calcola un semaforo rosso, per dire. Quindi, il calcolo dell'algoritmo è totalmente falsato. Eppure, se non lo rispettiamo ci andiamo di mezzo noi. Questo non andava bene neanche prima naturalmente. Ma ora con il Covid gli stop sono raddoppiati. Arriviamo a 180 stop al giorno per un totale di oltre

300 pacchi da consegnare. Questo è un carico che va bene per due driver, non per uno solo.»

Ecco la straordinaria innocenza di Monica: ritenere normale, accettabile, comprensibile quello che non lo è affatto.

L'algoritmo è il nuovo padrone, senza remore. Un non umano datore, per non dire, delatore, di lavoro che segue i numeri delle equazioni e non guarda in faccia le donne e gli uomini.

Le corse frenetiche dei rider e dei fattorini che vediamo ogni giorno muoversi per le vie cittadine sono una forma di alienazione, di non vita. Ci sfiorano, accarezzano le nostre auto in coda, scompaiono lasciandosi dietro l'aria spostata dalla corsa.

Ma il racconto di Monica continua implacabile in un crescendo di velocità in cui non c'è più spazio neanche per mangiare, neanche per il diritto alla pipì.

«È difficile fare la pausa se vuoi rispettare questo ritmo. La devi gestire nel turno, mezz'ora più le nove ore di lavoro. Quindi significa che se non fai la pausa, lavori nove ore e mezzo. Loro dicono che è obbligatoria per una questione di sicurezza, ma intanto non è pagata e poi è complicatissimo farla. E quindi finisce che in realtà in tanti ci rinunciano. Molti mangiano panini mentre guidano. Io di solito la faccio, perché devo tutelarmi, ma poi a fine giornata so già che non avrò finito la rotta che mi hanno assegnato.»

E allora corri, corri per le strade e te ne freghi dei rischi. Alla fine, questo sistema schizofrenico ti tramuta in una scheggia impazzita, un potenziale pericolo per te stessa e per gli altri. La beffa è che è sempre tutto sulle tue spalle. Sei solo tu la responsabile.

«Se prendiamo multe per andare veloce, le paghiamo chiaramente noi. Se non rispetti questo ritmo e sei a tempo determinato, sei a rischio che non ti confermino. Io sono fortunata perché sono a tempo indeterminato. Ma comunque i capi cercano di intimorirti, a fine giornata ti fanno mille domande per capire perché non hai portato a termine la rotta. Sul furgone sei sempre a rischio, con l'ansia addosso di dover andare veloce, ti fermi in doppia fila, sulle strisce pedonali, su una provinciale dove le macchine sfrecciano, non hai tempo per pensare, devi solo correre. Correre. Correre.»

Mi giro e mi rigiro tra le mani la lettera di Monica che comincia a farmi male come un pugno nello stomaco. E così mi viene in mente un film bellissimo di Ken Loach, si chiama, *Sorry We Missed You*. Un film che la pandemia imminente al momento della sua uscita ha fatto passare un po' sottotraccia, ma quando l'ho visto mi ha tolto il respiro tanto era brutale nel suo racconto di ineluttabile caduta agli inferi. Dobbiamo spostarci in Inghilterra, ma il risultato non cambia. A Newcastle Ricky, il protagonista, si ritrova da un giorno all'altro senza lavoro e per mantenere la sua famiglia vende l'auto e si mette a fare il corriere indipendente con un nuovo furgoncino. È l'inizio di un inferno che piano piano lo inghiottirà. Ho ben presente la scena: Ricky viene aggredito da delinquenti che lo derubano della merce, la ditta che lo ha assunto gli chiede di ripagare tutto di tasca propria. Lui non ha più soldi e si ritrova a lavorare per saldare un debito fatto mentre lavorava per pagare i debiti. È un maledetto gioco al massacro ed è maledettamente reale. Niente, a volte, è più reale di un film.

Penso a Monica e alla sua vita appesa a un filo, la sua vita che no, non è affatto migliorata in questo ultimo anno. Andrà tutto bene, a volte, non funziona neppure al cinema.

«In pandemia non ci siamo mai fermati, anzi come ti dicevo abbiamo lavorato di più, per lo stesso stipendio. Abbiamo chiesto in sciopero un aumento e un buono pasto, almeno quello... Abbiamo ottenuto poco e niente. Intanto, loro monitorano tutto quello che facciamo tramite Gps per capire quanto siamo fermi. E così se ci fermiamo anche solo per andare in bagno ci chiamano al telefono e chiedendoci perché. È una grande fregatura. La sensazione all'inizio è – a differenza di altri lavori – di non avere il fiato sul collo di un padrone, ma poi capisci che è ancora peggio perché il padrone in realtà c'è e non è una persona in carne e ossa, ma è un algoritmo, senza occhi per vedere, senza cuore per sentire. All'inizio avevo paura di perdere il lavoro, di non portare i soldi a casa. Oggi sono arrivata a pensare per prima cosa alla mia salute. Ho capito che per loro sono solo un numero.»

E qui non è neanche più Ken Loach, qui siamo al Grande Fratello, quello vero, quello di Orwell, che ti controlla, che sa dove sei e cosa fai. A questo punto, ogni piccolo gesto di disubbidienza, fosse anche quella sacrosanta pausa per mangiare un boccone, diventa una forma di resistenza o forse di semplice sopravvivenza.

Qualche mese fa, in Spagna hanno avuto più coraggio di noi. Il ministro (o la ministra) del Lavoro Yolanda Diaz ci ha provato. Ha chiesto alle aziende non solo più tutele per i corrieri, ma anche di svelare i famosi algoritmi che sono il cuore malato di questo sistema infernale. Chi sfreccia per le nostre strade deve sapere perché lo fa, per chi lo fa. In Spagna hanno votato una legge ad hoc che impone alle aziende di fornire informazioni ai comitati aziendali su «algoritmi e sistemi di intelligenza artificiale» che influenzano le condizioni di lavoro. Ovviamente, guarda un po', le aziende come Amazon si oppongono. Lo so, sembra fantascienza. Ma è il futuro prossimo. La battaglia sarà lunga. Ma almeno in Spagna è iniziata. Qui da noi i lavoratori sono ancora soli.

«Io provo a tutelarmi e a non superare il mio limite. Di media faccio 120 stop, che è il massimo che bisognerebbe fare. Ma anche così, per una donna, soprattutto in pandemia, è stata durissima. Neanche in bagno si poteva andare. E rispetto agli uomini per noi è un incubo. Non ti dico quando ho il ciclo. In pandemia, ho dovuto cercare zone tranquille e non trafficate e fare pipì in strada. Avevo anche provato a resistere per tutte le nove ore e mezza di lavoro, ma poi arrivi a casa che ti senti male. C'è chi si è fatta venire la cistite perché si vergognava di farla in strada.»

A me il racconto di Monica ha messo i brividi e li mette ogni volta che lo rileggo. In Italia, nel 2021, una donna non riesce ad avere il tempo di andare in bagno, di cambiarsi quando ha il ciclo mestruale, di tutelare non solo la sua mente, ma anche il suo corpo, mentre noi facciamo i nostri acquisti sempre più a portata di clic e Amazon diviene ogni giorno più ricca.

«Ormai a quarantacinque anni non potrei fare altri lavori. Devo fare i conti con la realtà. A oggi, le donne sono poche e la verità è che se vuoi sposarti e fare figli non scegli questo lavoro. Io ho iniziato che avevo già le bambine grandi, ma cosa sarebbe successo se avessi cominciato venti anni fa?»

Nessun lieto fine e, forse, nessuna fine. Quando entri dentro il meccanismo fai fatica a uscirne. Ne diventi parte. Una macchina, un automa, fino a perdere l'identità. Se non ci sbrighiamo a farci sentire, se non smettiamo di pensare che tutto questo sia normale, rischieremo di avere sempre più donne trasformate in numero, private della dignità e del futuro, risucchiate da un algoritmo che toglie tutto in nome di quel poco che promette.

Il Covid ci lascia sulle spalle una eredità difficile da controllare: ha accelerato processi di sviluppo lontani dal progresso, come già Pier Paolo Pasolini aveva lucidamente predetto molto tempo fa.

Ha allargato le maglie della quiescenza sociale, rendendoci tutti inermi dinanzi alle ingiustizie che ci passano accanto. Ha reso i precari più poveri e i lavoratori più isolati. Io non conosco il volto di Monica, ma le sue mani sì: sono quelle che mi hanno consegnato un pacco sullo zerbino della porta di casa e le stesse che hanno scritto questa lettera nuda e cruda. Questa lettera che ci costringe ad agire.

Io non voglio un Paese di consegne rapide senza pause pipì. E se ho colpa, piccola che sia, chiedo a Monica di perdonarmi. Vorrei guardarla negli occhi e dirle che non andrà tutto bene, ma che io voglio fare la mia parte.

E che so che in storie come queste gli indifferenti diventano colpevoli.

Il Maestro con la gonna

Beatrice

«Egli danza, egli danza» diceva Orson Welles di Federico Fellini. Lo ripeteva due volte perché il concetto fosse più forte. «Lei danza, lei danza» potrei dire io, nel mio piccolo, parlando di Beatrice Venezi. Che sia Japan New Philharmonic Orchestra di Tokyo o Orquesta Sinfónica de Córdoba, che sia a Lucca con la Filarmonica della sua città natale o alla Orchestra of the Foundation Bulgaria Classic, Beatrice su quel podio da direttore d'orchestra danza. E il fruscio percepibile dei suoi meravigliosi vestiti di scena pare seguire ondeggiando le sue mani che scrivono segnali in codice nell'aria. Tutto resta sospeso intorno a lei e quasi scompare. I direttori fanno prodigi spostando solo l'aria. E le sue dita compongono movimenti, arie, sinfonie con eleganza magnetica.

I musicisti che la circondano sembrano donarle note quasi come un gioiello prezioso per adornare quella donna di soli trentun anni, dal volto limpido, dai lunghi e potenti capelli biondi, che è già stata inserita da Forbes Italia fra i sicuri leader del futuro.

Quella di Beatrice mi pare una vera rivoluzione, al di là delle chiacchiere e delle polemiche. Sì, perché questa giovane è oggi una delle prime donne italiane a rompere il tabù del podio del direttore d'orchestra. Sempre e tutto al maschile, quasi fosse una tradizione scolpita nella pietra. Bravissime donne primo violino, al piano, ai fiati, ma sempre con un uomo che le dirige, mai su quel podio al centro dell'orchestra. Beatrice ci è arrivata in barba a tutto e tutti. Soprattutto tutti. Ne abbiamo già sentito parlare, succederà ancora, c'è da scommetterci. E io voglio proprio sentire quello che ha da dire.

Quando ho capito che la crisi del Covid era come una nuova Seconda guerra mondiale e che, ora come allora, saranno le donne e i giovani a pagare lo scotto più alto in termini di sicurezza, posti di lavoro e salari, mi è subito venuta in mente Beatrice. E una domanda semplice semplice. Come si fa? Come si fa a superare gli stereotipi proprio adesso, come si fa a imporsi in un mondo di maschi? L'ho incontrata per parlare con lei. E posso dire una cosa, avendola vista dal vivo? Beatrice è bella, molto bella. Viva la faccia, diciamolo. È una cosa che salta agli occhi. È una bellezza solare, naturale e non dissimulata. Non c'è l'ipocrisia di chi non vuole farsi vedere, di chi «Sono troppo impegnata per occuparmi di me». Lei, invece, il suo corpo e il suo volto li cura, con grazia. La sua eleganza è nel dettaglio, nel particolare. Piccole cose, che mostrano la dedizione, quell'«Io avrò cura di me» parafrasando un verso celebre del Maestro Battiato. Amarsi un po', mi viene da dire.

«È un vecchio luogo comune, che colpisce specialmente chi lavora nella cultura e nell'arte. Sembra che ci si debba mostrare trascurati per dimostrare l'engagement, il coinvolgimento nel proprio lavoro. Dicono, o sei stata dal parrucchiere o sei stata in biblioteca. Tutte e due le cose non le puoi fare. Ma questo è un ragionamento da maschi. Non hanno capito che noi siamo multitasking e possiamo fare tutte e due le cose insieme. È una sorta di body shaming al contrario: se sei troppo brutta, allora sei criticata per questo e se sei troppo bella e curata, allora vuol dire che sei vanesia, che non ti impegni. È sempre un giudizio maschile all'origine. Gli uomini non si giudicano mai, non nascono polemiche se un uomo si veste troppo bene o troppo male. Noi dobbiamo giustificare tutto quello che facciamo. E comunque io lo ritengo un gesto d'amore per il mio pubblico. Chi mi sta davanti ha pagato un biglietto, ha fatto della strada, rinunciato a degli impegni per ascoltare la mia musica. Il minimo che posso fare è presentarmi al meglio, non solo dando il massimo, ma anche curando la mia persona.»

Già, tutto quello che facciamo diventa pubblico. E quando sei un personaggio pubblico hai anche dei doveri. In molti vedendomi la mattina in televisione, durante il lockdown, mi scrivevano: «Vederti così curata ci dà la carica». Specie quando in pandemia si sta chiusi in casa e magari ci si lascia andare allo sconforto, ci si trascura. In questo senso, i media e le loro grandi cerimonie servono eccome. Inevitabilmente il mio pensiero va a qualche mese fa, Sanremo 2021, un evento speciale, senza pubblico causa Covid. E sul palco sale lei, Beatrice, con la sua inconfondibile chioma bionda e uno splendido abito rosso. Amadeus la presenta come «direttore d'orchestra» e non direttrice, perché, specifica, l'ha voluto lei. «Me ne assumo la responsabilità davanti al pubblico» ci ha detto da quel palco Beatrice con un sorriso, «quello che conta è il talento e la preparazione con cui si fanno le cose, con cui si svolge un determinato lavoro, la professione o il mestiere ha un nome preciso e nel mio caso è direttore d'orchestra.»

Apriti cielo! Improvvisamente cantanti e canzoni sono passati in secondo piano e per giorni interi l'unico argomento di discussione sembrava quello che aveva detto Beatrice. Su di lei si sono abbattuti gli strali del femminismo militante, ma anche i complimenti pelosi di qualche uomo che pensava di prendersi delle rivincite. È intervenuta persino l'Accademia della Crusca ad affermare una cosa banale: ognuno sceglie come vuole farsi chiamare, e se qualche donna in futuro preferirà farsi chiamare «direttrice d'orchestra», ce ne faremo una ragione. Ma prima ci si deve arrivare.

«È questo il punto. Il podio delle orchestre è sempre stato un luogo per maschi. La mia battaglia di donna l'ho fatta arrivando lì. Il posto del venerato Maestro... ora il Maestro ha la gonna. Ho raggiunto quella posizione e così voglio farmi chiamare. Le polemiche che sono seguite alle mie dichiarazioni sanremesi mi sono sembrate surreali. Surreali e superate. Roba di tanti anni fa. Oggi mi pare anzi che la battaglia sia sul fronte opposto. Se vai in Uk o in Usa sono le attrici che chiedono a gran voce di farsi chiamare *actor* e non *actress*.

«Non è il termine con cui ti chiamano il discrimine. Sono i soldi che ti danno. Puoi chiamarmi *actor* o *actress*, ma quello che è importante è che il mio onorario non sia del 20-30-40 per cento minore di quello del mio collega maschio.

«Il nome unico di genere fa saltare le divisioni e mette in risalto le capacità di un singolo. La storia di una persona parla per sé di quella persona. Mi è costato fatica, sangue e lacrime (tante) essere chiamata in quel modo. Direttore d'orchestra non è assolutamente una *diminutio*. È simbolo di rispetto del ruolo, che vale per entrambi i sessi.»

Sono cose iconiche e simboliche che valgono soprattutto perché le fa una donna. Come Rosa Parks che non si è alzata quando le hanno chiesto di lasciare il suo posto perché quella era la parte del bus riservata ai bianchi. Quel posto era importante proprio perché era dei bianchi. E direttore d'orchestra è importante perché era il nome per eccellenza dei maschi con la bacchetta. Ora non più, grazie a Beatrice e a quelle come lei che però sono ancora troppo, troppo poche.

«La distanza è ancora siderale. Basti vedere quante donne sono al vertice dei governi, delle università, dei centri di ricerca. Un numero ancora maledettamente basso. Si ricorre alle quote rosa e, badiamo bene, io non ne nego l'utilità. Ma siamo sempre lì. Sei un esserino inferiore, da preservare come una specie protetta. Come un panda. Non credo che così si vada molto avanti o si riesca a ottenere una reale parità.»

Se partiamo tutti sulla stessa linea, allora sì possiamo anche farcela, anzi possiamo vincere quanto e più degli uomini. Se invece ci fanno partire indietro con l'handicap, allora si farà sempre fatica. E la fatica per una donna c'è sempre, specie se vuole raggiungere certi traguardi.

«Io ho studiato piano nella mia città natale, Lucca. Fin da bambina. Ma da subito sentivo che c'era qualcosa che mi mancava. Amavo il mio strumento, ma volevo qualcosa di più. Ho capito dopo cos'era questo qualcosa in più. Stare con la mia bacchetta davanti al pubblico. Era quest'ultimo che volevo sentire, volevo essere in empatia con loro. Avere da una parte della gente che ascolta e dall'altra dei musicisti, quasi sempre bravissimi, che devi sentire a uno a uno, una sensazione bellissima: trasformare tanti suoni in una musica comune. Incredibile quanto possa cambiare tutto in base al semplice movimento delle tue mani nell'aria.»

E torna come un ritmo, come un'onda, come un *paso doble*, l'idea della danza. Secondo me, pervade il corpo di Beatrice, anche quando è ferma.

Ha ragione quando dice che andare a «vedere» un'opera significa esercitare lo sguardo, oltre l'orecchio.

Tendere al bello, curare la messa in scena, dare forma al dramma.

In questo mi ricorda tutti i grandi nomi di direttori che hanno risuonato nella mia mente fin da ragazza: Karajan, Abbado, Muti. La stessa forza interiore, la stessa capacità di farsi seguire come una melodia, come un flauto magico. D'altronde *Il flauto magico* di Mozart non è proprio una metafora del potere che riesce a dare la musica? Guidare un'orchestra è una sorta di leadership naturale, un esercizio benefico del potere, forse per questo i maschi sono stati così gelosi di quel ruolo! Beatrice però si tiene alla larga da cercare rivincite o confronti. Ha guadagnato il diritto di sentirsi chiamare «Maestro» e si guarda bene da abdicare. Anzi, rilancia. Rilancia per una musica classica davvero di tutti, conosciuta naturalmente dagli italiani quanto sono conosciute le canzoni di Sanremo. E in questo senso la sua presenza su quel palco è stata una doppia rivoluzione.

«Voglio far conoscere la musica classica al grande pubblico. Abbiamo una straordinaria tradizione musicale, siamo la patria dell'opera lirica, eppure sembra ancora che ascoltare classica sia qualcosa di sacro, riservato a pochi eletti. Qualcosa per cui bisogna agghindarsi e mettersi a lustro, senza poi magari neanche ascoltare. Credo ci sia molto snobismo in questo senso da parte delle nostre élite culturali. Cosa che non trovo altrove, per esempio in Francia, dove tutto è abbastanza naturale e la musica classica è conosciuta, anima i Festival ed è pane quotidiano su radio e televisioni.»

Un concerto dovrebbe essere come andare al cinema o a teatro o magari in una piazza, non qualcosa di eccezionale che, se va bene, si fa una volta l'anno. «Il problema, come si dice, sta a monte. Ci sono tantissimi bravi docenti di musica a scuola, ma alla fine le ore di insegnamento musicale sono deleterie. Spesso allontanano lo studente invece di avvicinarlo. Sembra che tutto sia finalizzato a imparare uno strumento. Ma uno può godere della musica senza suonarla. Che poi suonare un paio di pezzi col flauto, a cosa serve? Sarebbe invece opportuno insegnare la storia della musica e soprattutto l'ascolto della musica. Invece noi spesso ascoltiamo e non capiamo. Perché Puccini è un grande compositore? Quali sono le rivoluzioni musicali degli ultimi secoli? Come si insegna a guardare un quadro, lo stesso dovrebbe essere per la musica. È fondamentale per non perdere i talenti in Italia. Su questo argomento ho addirittura voluto scrivere un libro, *Le sorelle di Mozart*, proprio per dare voce a tutte queste donne musiciste che magari la stragrande parte di noi non conosce perché definite solo in funzione degli uomini, come la sorella di Mozart, o la moglie di Schumann. Altre volte, invece, le loro storie sono poco note (per esempio, Nadia Boulanger o Martha Argerich) perché sono schiacciate dalla presenza maschile. Anche il disco che sto preparando è tutto al femminile, dedicato alle eroine delle opere. Tutte figure splendide, che però, ahimè, fanno una brutta fine. Era così nell'Ottocento, una donna per emergere doveva morire (male) di qualche malattia terribile o per qualche evento tragico. Oggi, grazie a Dio, non è più così. Siamo vive e vegete e io ho molta fiducia che diventeremo sempre di più a dirigere orchestre e a scrivere musica. Sento che ci sarà sempre più spazio per noi, dopo questo ultimo anno terribile.» Vorrei sentirlo anch'io...

Il Covid ha ulteriormente peggiorato la situazione della musica classica, sinfonica e operistica dal vivo in Italia. Proprio l'Opera, quella invenzione artistica che tutto il mondo ci invidia. E non è stata solo la pandemia, ma anche le decisioni politiche di tenere tutto chiuso. Il teatro, la musica sono stati gli agnelli sacrificali. Quello che si poteva eliminare. Come se non fosse necessario.

«Ho vissuto buona parte della pandemia in Svizzera, da una prospettiva ovattata. Lì molte cose erano aperte e il virus sembrava meno potente. Io vivevo con l'angoscia per i miei a Lucca: la mia unica nonna in vita, novantatreenne, se l'è preso e, a riprova della forza delle donne, ne è uscita splendidamente. Però l'angoscia ce l'avevo anche per l'arte e la musica in Italia. Io non sono medico o scienziato e lascio agli altri giudicare, però mi sembra ci sia stato un certo accanimento nei confronti delle attività ludiche e artistiche. Come se non fossero importanti. Ti racconto un aneddoto. Ero venuta Roma qualche mese fa per un lavoro in Rai, con regolare contratto. Finito il lavoro, sono uscita a fare un po' di acquisti prima di imbarcarmi per tornare in Svizzera. Ebbene alla dogana la polizia italiana mi ha fatto una multa, perché secondo loro ero "venuta in Italia a fare shopping". Non hanno voluto sentire ragioni, il motivo di audizioni e concerti non li convinceva. Mi pare che in questo Paese siamo sempre alla solita storiella che mi raccontavano anni fa. C'è quello che dice: "Faccio il musicista" e l'altro che risponde: "Sì, ma di lavoro che fai?". Gli artisti sono stati lasciati soli. I fondi statali sono quasi tutti finiti ai teatri che si sono ben guardati dal distribuirli alle maestranze che erano rimaste senza lavoro. So persino di qualche impresario che con i ristori ha appianato i debiti. In Italia d'altronde non abbiamo nessun sussidio speciale per gli artisti, mentre basta andare in Francia per trovare gli *intermittents du spectacle* (Ids), lavoratori dello spettacolo che percepiscono un sussidio di disoccupazione per i mesi in cui non si trova lavoro.»

Sentiamo l'urgenza di cultura, di musica, di cinema, di teatro ora che l'incubo Covid sta lentamente, si spera, regredendo. Ma Beatrice ha ragione, cerchiamo di ritrovarci migliori almeno in questo. Non abbiamo bisogno di qualsiasi teatro o di qualsiasi musica, abbiamo bisogno di qualità. Abbiamo bisogno oggi di bambini e ragazzi che imparino la musica, che capiscano la musica e la condividano. Mi viene alla memoria, come un lampo, il celebre esperimento di Abreu, che Beatrice ben conosce. Si tratta di un progetto sociale e musicale messo a punto ben trentadue anni fa in Venezuela da José Antonio Abreu, sostenuto e ammirato dai più grandi musicisti, a cominciare da Claudio Abbado. «El Sistema» veniva chiamato, ma in realtà era più una rivoluzione. Creare per tutto il Venezuela decine di bande musicali, di piccole orchestre composte da ragazzi e ragazze, insegnare loro a suonare, amare la musica. È un sistema che ha strappato migliaia di giovani alle bande criminali, li ha riscattati da una situazione di miseria materiale e spirituale, dando loro la forza di lottare per il proprio futuro. Per alcuni è stato il primo gradino verso la gloria, penso a Gustavo Dudamel, il più famoso allievo di Abreu, da poco nominato direttore dell'Opéra national di Parigi. Ma non era questo l'importante. Questo per chi dice che la musica non è essenziale.

«Suonando in un'orchestra in fondo si impara la civiltà.» Queste parole mi illuminano. Prova d'orchestra. «Si impara ad ascoltare l'altro, a non sovrapporci, a rispettare il suo lavoro e le gerarchie. È una lezione di vita fondamentale specie oggi che facciamo sempre più fatica ad ascoltare e ascoltarci. Inondati da rumori, da musica fatta male, oggi non ci "sentiamo" più. Forse proprio le donne hanno una maggiore sensibilità in questo senso. Non è un caso che una delle accuse che facciamo più spesso ai nostri amici, padri, fidanzati è: "Tu non mi stai ascoltando". E in un mondo che sta diventando sempre più difficile da capire ascoltare è un modo per esercitare la leadership. Il metodo dittatoriale, che se vogliamo è stato quello più maschile, mi sembra volgere al termine: è diventato anacronistico. Le donne invece sono predisposte naturalmente alla leadership del futuro perché sanno ascoltare, non accentrano tutti i ruoli su di loro, riescono a delegare ad altri. Delegare significa rendere responsabile il gruppo con cui lavori: una responsabilità che è insieme onore e onere. E questa è una piccola rivoluzione. Lo capisci perché spesso molti rifiutano questo passaggio, preferiscono essere comandati, hanno paura di prendersi delle responsabilità.»

Certo sarebbe bello che tutto questo accadesse «con» le donne e non «contro» le donne, sarebbe bello se l'universo femminile facesse rete e si sostenesse. E invece no, spesso i peggiori nemici di una donna sono le donne stesse. Beatrice ne sa qualcosa perché dopo il suo intervento a Sanremo si è vista arrivare di tutto: insulti, minacce, esposti, si sono interessati persino delle parlamentari.

«È tristemente vero. Ho sentito spesso questo "vuoto". Ho trovato spesso "maestri" e "mentori", uomini meravigliosi che mi hanno spronato, insegnato, aiutato nella mia carriera. Invece non c'è mai stata una madrina, una donna più grande a guidarmi. Non so perché, ma mi è mancata. Per quel che riguarda le polemiche post Sanremo mi sono parse prima di tutto eccessive. L'onorevole Boldrini, che saluto perché so che è stata male, e a cui auguro pronta guarigione, non ha trovato meglio da fare che diramare un comunicato stampa sulle mie parole a Sanremo. Di fatto su una mia scelta personale che non voglio imporre a nessuno. Si può fare un comunicato stampa parlamentare sulla scelta lessicale di una donna? Ma, al di là di questo, quello che mi ha colpito è stato l'atteggiamento. Un continuo mettersi in cattedra da parte di molte intellettuali e attiviste che ci tenevano a spiegarmi cosa si doveva fare, come mi dovevo definire e perché sbagliavo. Fossero stati uomini l'avremmo chiamato giustamente *mansplaining*, cioè l'atteggiamento paternalistico di chi deve mostrare a una donna come si sta al mondo. Ecco io penso che quello sia un fallimento del femminismo. Replicare gli schemi maschili per sminuire le donne credo sia qualcosa che non dovremmo aspettarci da rappresentanti del nostro stesso sesso.»

La saluto parlando a bassa voce, pudicamente, di un ultimo progetto assai più intimo e personale. Diventare mamma. Magari non subito, ma a breve. In amore, mi dice, tutto bene e allora perché non pensarci? Perché la vera sfida è quella, prenderci quello che meritiamo senza rinunciare a essere donne. Parlando con Beatrice, non riesco a togliermi dalla testa quell'idea ancestrale, originaria, quasi iniziatica della danza. Danzare nella vita, come si danza sul palcoscenico. Perché in fondo non è diverso. Creare la vita come creare la musica. Bisogna però che ogni donna abbia il suo spazio per danzare. La strada è tutt'altro che facile. «Cosa è stato fatto dai governi che si sono succeduti negli ultimi anni per la famiglia? Si parla tanto di denatalità, ma avere un figlio e tenere un lavoro diventa sempre più difficile. La maternità non può essere un handicap.»

La sento, la guardo e mi dico che sì, fortunatamente, il futuro è donna e ha gli occhi di Beatrice.

3
Resistere

Il rossetto della vittoria

Giovanna

Giovanna. Un nome, e nulla da aggiungere.

Giovanna con la rabbia specchiata negli occhi, con l'armatura a difesa, col tono di voce perentorio e mai slabbrato.

«Però, Giovanna io me la ricordo... con l'anima in riserva e il cuore che non parte.»

In questi mesi abbiamo sentito tantissimi esperti, professori, ricercatori. Ma i veri competenti li abbiamo tra noi. Parlo dei pazienti, che con il loro corpo sanno cosa vuol dire patologia più Covid. Un mix terribile di paura e dolore. Ogni giorno avvertono l'impatto drammatico che questa miscela ha sulle loro vite. E scelgono il proprio corpo come campo di battaglia. Per vincere, a qualsiasi costo.

Giovanna è una donna, una delle tantissime, che non poteva aspettare. Ha quarantatré anni, la sua professione è quella di giornalista. La lentezza dei vaccini è un problema gigantesco, per alcuni persino intollerabile. Per le cosiddette categorie fragili i ritardi sono una fatica che si sente attimo dopo attimo. Giovanna non poteva aspettare, eppure ha dovuto. E ha anche atteso a lungo, per le questioni che tutti conosciamo, quelle legate agli intoppi produttivi, al vantaggio di alcuni Paesi rispetto ad altri, alle difficoltà di somministrazione che molte regioni hanno avuto, alle priorità fissate dallo Stato per accedere ai vaccini.

Soffre di una fibrosi polmonare, una malattia cronica degenerativa, vuol dire 100 per cento di invalidità. Quando ne sei affetta, l'unica soluzione possibile è un trapianto bipolmonare. Il Covid non risparmia chi viene colpito da questa forma di fibrosi, eppure è una patologia non inserita, né dal governo Conte né dal piano successivo del governo Draghi, tra le categorie con precedenza, anche se mi dicono che c'era bisogno come, e forse più, che per tanti anziani.

A partire dagli ultimi giorni di dicembre 2020, per mesi Giovanna si è informata coi sanitari del San Camillo di Roma che la seguono: «Quando toccherà a me e a quelle come me?». Sono in seimila in tutta Italia, e sono 14 milioni gli italiani che lo Stato considera malati di particolare fragilità. La risposta che i medici hanno potuto darle fino a marzo è stata sempre la stessa: «Vaccini ce ne sono pochi. E non sappiamo quando ne avremo a disposizione per le categorie fragili». La prima luce s'è accesa il 4 marzo, quando la Regione Lazio ha annunciato che sarebbe finalmente partito il programma di vaccinazione per pazienti affetti da malattie a maggior rischio. Partito, certo, ma le attese potevano poi prolungarsi anche fino a trenta giorni.

Giovanna si è trovata nuovamente in una strada senza uscita, confinata nel suo dramma personale che non aveva soluzioni. Il problema è soprattutto nel modo di vivere accanto a suo figlio di tredici anni, che rischia di fare da veicolo di contagio, lui che va a scuola e che naturalmente incontra compagni, docenti, persone di vario tipo.

Si arma di coraggio, dunque. Sa che non può togliere spazi di vita a suo figlio e che però non può distruggere se stessa. Essere madre e donna, protettiva e protetta, inespugnabile e malata. Per questo, lei non vuole risolver-si, pretende di risolvere per tutti.

«Possibile che la politica non trovi il modo di far coesistere il mio diritto all'esistenza e il diritto di mio figlio all'istruzione?»

La disperazione le ha suggerito di protestare, e di protestare usando proprio ciò che le istituzioni hanno ignorato, il suo corpo. Ha inaugurato uno sciopero della fame, e a catena anche uno sciopero dei farmaci che le occorrono per curarsi, perché a stomaco vuoto non avrebbe potuto prenderne. A quel punto, ho immediatamente chiamato in causa l'attuale sottosegretario alla Salute, Pierpaolo Sileri.

Lei non gli ha rivolto parole gentili. Il suo non è un happy ending scontato, ma una epopea da eroine invisibili. Giovanna è più Nikita che Cenerentola.

Volevo che Sileri spiegasse direttamente a Giovanna, e a tutte quelle che lottano con disagi terribili come il suo, in che modo lo Stato riuscisse a giustificare queste assurdità, come fosse accettabile per il governo che a persone che soffrono ogni giorno a causa della gravità delle loro malattie non sia nemmeno riconosciuto il diritto di ottenere un vaccino in tempi rapidi. Soprattutto per loro, il vaccino è ciò che consentirebbe di recuperare la possibilità di vivere e curarsi più dignitosamente. Diamo loro almeno questo.

Ricordo bene la notte del messaggio di Giovanna, quello che annunciava il risultato tanto agognato.

La sua personale dignità l'ha recuperata qualche giorno più tardi, precisamente l'8 marzo, e dico che simbolicamente non deve essere stato un caso che si trattasse proprio di quel giorno. Un sorriso pieno di coraggio e i suoi occhi meravigliosi ci hanno raccontato in diretta che lo sciopero della fame era interrotto, finito, le era stata iniettata la prima dose del vaccino per cui aveva lottato e per cui aveva alzato la voce. Adesso poteva serenamente dedicarsi a suo figlio, e far ripartire la sfida alla fibrosi, il nemico vero.

Il giorno della vittoria, della vita riacciuffata per i capelli, della speranza che da parola luminosa si fa cellula percepita, Giovanna si è concessa il rossetto rosso. Non solo un vezzo, quasi un manifesto politico, che ho percepito come un sussurro di complicità.

Dismesso il volto pallido del digiuno e del sacrificio, Giovanna la combattente ha ripreso in mano un pezzo di sé dimenticato.

Certe volte, i contorni dell'estetica sono molto più

che dettagli e affondano nelle pieghe dei nostri sentimenti. Le donne lo sanno, quando è il momento di dire facendo. Di dare valore alle azioni più semplici, ordinarie, che acquistano peso dopo il vuoto della privazione.

Alcune battaglie si combattono a piedi nudi e con parole affilate, anche quando la voce diventa un sussurro flebile. E se la lotta sul corpo degli altri assume il significato della militanza ideologica, quella sul corpo che ci appartiene sviscera paure e fragilità cristalline.

Giovanna, quella lotta, se la porta cucita addosso. Non solo ci crede, ma la indossa. Ecco una differenza sostanziale: mettersi a nudo comporta la perdita dell'anonimato, dietro il quale è facile sostenere tesi e affilare le armi; ma solo così le prove della vita diventano storie a lieto fine. Il vissero felici e contenti è con noi stesse, sempre.

Il pane della speranza
Martina

«Faccio la fornaia in un supermercato, sono quella ragazza bionda che vi serve il vostro pane quotidiano, che ha un po' paura di uscire, e che a casa ha due bambini di sei e tre anni.»

Martina è una trentunenne che aveva una carriera universitaria in corso. La chiusura della scuola le ha impedito di proseguire, le ha imposto una vita diversa da quella che stava immaginando e inseguendo. Ma prima ancora la condizione di madre l'ha costretta alla rinuncia a un lavoro che amava. Anche per Martina, il ruolo di donna e di madre è diventato presto una condanna, una sentenza che ti casca addosso e ti obbliga alla vita che non volevi, abbandonando quella a cui hai inutilmente dedicato fatica nel tentativo di darle una luce. Il suo primo lavoro ha dovuto lasciarlo dopo che si è vista ridurre le mansioni. Il motivo? La nascita di un secondo figlio. Così se n'è trovato un altro, più modesto di ciò che c'è nei suoi sogni, e ha cominciato a studiare, con l'obiettivo di laurearsi e finalmente agguantare l'esistenza a cui ambisce. Ma poi anche lei ha scoperto che il Covid sa essere devastante pure per chi non si è ammalato. La scuola chiude, lei adesso ha i bambini di nuovo a carico totale, anche l'università, anche lo studio, volano via, diventano un obiettivo impossibile, per il tempo e per i costi.

«Cosa farà davvero il governo per le famiglie? Pensa che con ciò che ci daranno io e mio marito potremo permetterci una baby-sitter fissa? Qual è la soluzione? Te lo dico io, Myrta cara: la soluzione è la pelle delle donne. Come sempre.
In silenzio, molte di noi si licenzieranno, per poter seguire i loro figli, la didattica e la famiglia.»

La disperazione non ha un confine, è una macchia che ti si dilata dentro, che apre ferite. È difficile per Martina guardare avanti, perché è proprio davanti a sé che percepisce il buio. Ha i figli, e ne è felice, e a quei figli voleva dare una mamma laureata, contenta di sé. Ora è una donna che deve scendere a patti con le proprie necessità e con le sue stesse aspirazioni. Deve ingoiare anche ciò che non le piace, ciò che nei suoi progetti non doveva entrarci. A una donna ancora oggi è facile rubare il futuro, più facile che a chiunque altro.

«Ora sono senza indipendenza, e così perdo ambizioni e opportunità. Non è un'emergenza, questa? Ci hanno detto che lo Stato c'è. Io fin qui ho visto solo lavorare le mie braccia, più che ricevere una mano dalle istituzioni.

Buona giornata, cara Myrta, avevo solo voglia di scriverti...»

E io ho voglia di risponderti, cara Martina. Ho voglia di gridare che non può esserci una colpa nell'essere madre. Sì, colpa. Accusa che di fatto giunge dalle stesse istituzioni, preoccupate perché in Italia non si fanno figli, ma poi del tutto cieche al cospetto di quelle che i figli li fanno, e che pagano la maternità con una vita che da quell'istante deve escludere ambizioni, lavoro, gratificazioni. Una vita alla quale si chiede di eliminare ogni porzione di tempo per sé, troppe donne/madri non ne hanno diritto. Ed è degradante che il mondo continui a trattare le ambizioni universitarie di una donna come un privilegio che il primo ostacolo può sbriciolare. E non conta quanta energia, quanto talento e quanto sacrificio abbia investito e ancora fosse disposta a investire Martina. Non conta niente, purtroppo. A volte ci accorgiamo che i sogni e la fatica per raggiungerli sono un lusso, non possiamo permetterceli.

Insomma, ragazze mie, la verità è che per ogni Ursula von der Leyen, ci sono milioni di Martine che erano lavoro, studi, ambizioni e che la crisi ha trasformato in disperazione. E ogni Ursula von der Leyen che appare sulla scena sembra un obbligo dovuto a quel privilegio, un debito fatale che le donne contraggono col destino e con il genere padrone. Come se una figura femminile divenuta autorevole, una figura femminile che abbia per una volta raggiunto una posizione di potere autentico, fosse una conquista strappata un po' coi denti, un piccolo abuso sulla storia, per il quale bisogna continuare a ringraziare le rare concessioni che finalmente provengono dagli uomini. Del resto, se pensiamo alle stanze del potere, quelle che vediamo nelle immagini alla tv, quelle ricostruite in migliaia di film, non riusciamo in alcun modo a staccarci da stanze piene, sempre ed esclusivamente, di maschi. Cos'è il potere? C'è un modo per riassumerlo? Può andare bene il consiglio d'amministrazione di una banca, un conclave che si riunisce nelle segrete stanze del Vaticano, il management di vertice di una multinazionale. Ci vedete donne? No, nessuna. Vediamo uomini, solo uomini che muovono i fili. Ma noi non dobbiamo mollare per tutte le Martine di ieri, di oggi e soprattutto per tutte quelle di domani.

Libertà e democrazia
Fiamma

Questo capitolo del libro voglio iniziarlo da un luogo banale, dove tutti passiamo qualche ora la settimana, ma che dimentichiamo presto. Un non luogo, dove nessuno si fermerebbe più del tempo necessario, dove nessuno si aspetta grandi gesti, grandi emozioni o sorprese: il supermercato. Eppure, il supermercato è entrato di diritto tra i simboli del lockdown. Penso ovviamente al primo lockdown della primavera 2020, quello rigoroso che svuotò le strade, quello che ci faceva sentire tutti fantasmi, in coda per acquistare una bottiglia di latte, attenti sugli scaffali a caccia vanamente di farine, lieviti e alcol denaturato. E simboli viventi divennero cassiere e cassieri, esposti alla minaccia del contatto, costretti a lavorare quando ormai quasi tutto il resto aveva le porte sbarrate. Direi che a occhio e croce, nella classifica degli eroi stilate dai social, alle spalle di medici e infermieri, a quel tempo venivano loro. È chiaro che non erano le sole categorie al lavoro, ma tante sono state assai meno visibili. Se nelle nostre case abbiamo continuato a poter contare sulle forniture di luce elettrica, di gas e altri servizi simili, qualcuno doveva pur lavorare per garantirceli. E poi hanno lavorato forze dell'ordine, apparati di informazione, addetti ai trasporti, i rider che ci portavano di tutto e tanti altri. Qualcuno più, qualcuno meno a contatto con un pubblico.

E la paura? La paura resta un disagio personale, del quale nessuna istituzione tutto sommato si preoccupa. Quando nella vita sei la cassiera di un supermercato, chiamata a star seduta al tuo posto nel cuore di una improvvisa pandemia della quale non cogli i confini, ma solo il sapore dell'angoscia, quanto diritto hai di aver paura? Quanta ne vuoi, ma tienila per te. Non potrai farne oggetto di rivendicazione, e nemmeno di contrattazione professionale. Eppure esiste, ciascuno fa i conti con la propria, e nessuno si sognerebbe di sostenere il contrario.

Ancora nei primi mesi del 2021, la cronaca ha registrato cassieri di supermercati che hanno perso la vita dopo aver contratto il Covid, ci sono stati casi a Roma, a Brescia, in tante altre zone. Uno di loro, Jonathan, è morto a Livorno nel novembre del 2020, aveva trentanove anni e quindici di carriera, durante i quali si era permesso solo tre giorni per malattia. Quando ha avvertito febbre alta, ha chiesto che gli facessero un tampone, l'ha chiesto inutilmente per quattro giorni, fino all'istante in cui un arresto cardiaco gli ha tolto la vita. Il piano vaccinale non ha mai pensato a loro come categoria che meritasse un piccolo vantaggio nella classifica di coloro da salvaguardare. Abbiamo visto in modo indiscriminato offrire dosi a lavoratori della giustizia, malgrado molti avessero sospeso le proprie attività, a insegnanti di ogni ordine di scuola che per mesi hanno lavorato solo online da casa, a medici ormai in pensione. È triste la guerra tra categorie, questa squallida corsa delle corporazioni, impegnate nel tentativo di essere le prime che conseguono il privilegio della salvezza. E forse soprattutto una corporazione forte manca ai cassieri, a contatto continuo con folle di clienti, a maneggiare denaro che trattiene ogni impurità, difesi soltanto da un metro quadrato di plexiglass che certo non elimina il pericolo del contagio.

E poi loro, noi, i cafoni del quotidiano, quella quota di sconosciuti che ogni tanto si fa viva al di là della cassa e che sembra uscita di casa solo per disprezzare chiunque si pari davanti alla sua volgarità.

In più, si aggiunge la sensazione sgradevole di far parte dei dimenticati, di coloro le cui richieste di aiuto vengono sistematicamente ignorate, e spesso nemmeno ascoltate. Tante ore di lavoro, turni massacranti, stipendi quasi sempre magrissimi. Questo accresce il senso paradossale della solitudine professionale, malgrado si lavori tra tante presenze. E accanto, come unica compagna, si rischia di avere ancora la paura.

Dal giorno in cui qualsiasi contatto è diventato orrore, il mestiere della cassiera ha acuito i propri disagi, ha mostrato quanto la paura riesca a far germogliare il fiore del male, quanto donne e uomini riescano a coltivare rancore in nome delle paure. Chiunque fosse dall'altra parte della cassa non era più un cliente al quale comunicare il conto e fornire sacchetti, ma una potenziale sorgente di contagio, colui che solo respirando poteva bruciarti i prossimi giorni, e forse tutta l'esistenza. Perché vi racconto tutto ciò? Perché mi arrivano tante lettere al giorno, ma quella di Fiamma mi ha fatto pensare, mi ha fatto riflettere in modo particolare. Fiamma è giovane, poco più di vent'anni, ma lavora al supermercato già da qualche anno. Ogni tanto in cassa, ogni tanto nelle corsie. E se c'è da aiutare a fare la spesa, a rispettare le regole, non si tira indietro. Ma non è facile. È una piccola via crucis nel menefreghismo quotidiano, nell'egoismo della disattenzione. E così un giorno decide di prendere carta e penna elettroniche e farsi viva con me. Una lettera che non trasuda rabbia, né disperazione, né odio, ma preoccupazione. Preoccupazione per quello che stiamo diventando. Mi scrive...

«Preghiamo i clienti di collaborare. Quando va bene, ci fanno un sorrisino e poi ci ignorano, altrimenti hanno reazioni tipo: "Se ha paura se ne stia a casa sua". Oppure: "Lei non può mica darmi ordini!". O anche: "Io faccio quello che mi pare, posso tossire, starnutire, sputare, tanto lei ha la mascherina e i guanti". Altri vorrebbero darci fuoco.»

Spesso è incomprensibile, la paura. Funziona come una mina che esplode all'improvviso quando ci metti un piede sopra. Eppure tutti noi facciamo fatica a comprenderla quando non è anche la nostra. Fiamma ha diritto alla sua, ha diritto di pensare che le scarne regole imparate nell'epoca del Covid vadano rispettate. Ma poi fuori c'è il mondo, e il mondo è organizzato sulla sfida continua tra regole e violazioni. Ci sono i ligi e ci sono i trasgressori, spesso travestiti da donne e uomini che invocano solo libertà di agire, e libertà di travolgere con la propria libertà diritti e paure altrui.

Fiamma sa che le regole del lavoro sono rigorose, spesso devi ingoiare anche ciò che non ti piace, perché il lavoro somiglia tanto alla sopravvivenza, gridi la tua rabbia fino al punto in cui non rischi di valicare il confine, c'è una frontiera davanti alla quale devi fermarti e accettare la tua paura, nonostante tutto. Perché al lavoro non puoi rinunciare.

«Altri vorrebbero darci fuoco», mi ha detto proprio così Fiamma. E la minaccia di quel fuoco, quando mi sono ritrovata con la sua lettera in mano, l'ho avvertita sulla pelle, nel suo nome, che fa pensare all'energia, allo slancio vitale del fuoco, non ai roghi, neanche quelli metaforici. Ho sentito la distanza che le persone possono mettere tra loro, e come lo scenario delle relazioni umane possa diventare il terreno potenziale di una battaglia. Una battaglia delle menti e dei pregiudizi, la battaglia di chi sta da una parte della cassa, rinchiuso nel suo contratto severo, e chi sta dall'altra, a meno di mezzo metro, eppure distante come appartenesse a un'altra galassia.

Ci conosciamo davvero? Conosciamo noi stessi? Conosciamo cosa gli altri rappresentano per noi e quali relazioni siamo disposti sinceramente a stabilire con l'esterno? Ho il timore che qualche volta pecchiamo di ottimismo, crediamo che la nostra cordialità, quella che con tanta indulgenza ci attribuiamo, sia l'elemento che fissa il nostro buon rapporto con l'ambiente. Un virus, un minuscolo virus ha fatto saltare per aria una buona parte di questo schema. L'altro, l'estraneo, in molti casi si è trasformato nel nemico, da una parte c'è lo sconosciuto in coda che tossisce e tiene la mascherina sistemata male, dall'altra c'è chi invece di badare al proprio lavoro di cassiera pensa a dettare regole. È proprio così che siamo diventati? È proprio così che ci guardiamo a vicenda?

Capisco Fiamma, capisco le sue paure, ma ciò che più mi avvicina a lei è il bisogno di libertà, il dilemma della libertà che lega a questa sua fase della vita. C'è quella che lei desidera e c'è quella di chi si muove al di là di ogni forma di rispetto.

«Anch'io voglio essere libera. Vorrei essere libera di stare a casa, ma non posso. Perché la società ha bisogno dei medici, delle forze dell'ordine, e anche di noi piccole cassiere, affinché tutti possiate fare la spesa. La democrazia non è solo libertà, ma soprattutto responsabilità civica; il popolo è veramente maturo solo quando ciascun cittadino si sente responsabile per sé e per gli altri.»

È bello che da Fiamma ci venga una riflessione così profonda sulla democrazia. Ed è bello che le sue paure riescano poi a generare in lei non solo disappunto, ma facciano anche affiorare il bisogno di responsabilità e di convivenza civile.

«Mi sono resa conto che fanno tutti riferimento a questa tanto millantata "libertà", e che siamo in democrazia. E allora io mi chiedo se non sia il caso di fare un dibattito su questo tema, perché ho la sensazione che politici, giornalisti e altri, abbiano fatto un largo uso di questa parola, ponendola come primo bene assoluto da difendere a ogni costo, e sopra ogni cosa, senza però analizzare cosa voglia dire davvero "libertà", e senza tenere conto che lasciare questa "libertà" in mano ad alcuni è come mettere un'arma nelle mani di un bambino.»

E allora, cara Fiamma, siamo nei fatti costretti ad accorgerci che il virus è una malattia che ci ha colpiti tutti, non è un affare che ha toccato solo chi ha vissuto in prima persona il Covid. Si è insinuato come un morbo individuale e sociale, ha messo a rischio e sta tutt'ora corrodendo non solo i nostri equilibri di persone, ma anche ciò che credevamo essere fondamenti della nostra convivenza e delle nostre balbettanti democrazie occidentali. Non entro nel merito del lungo dibattito su restrizioni e riaperture, sono certa che a tutti noi sul tema è capitato di cambiare idea. Parlo invece di quella che lo stesso ministro Speranza nelle

pagine semiclandestine del suo libro, libro un po' uscito e un po' no, definisce rischio di una «torsione an-
tidemocratica». E noi questa torsione l'abbiamo vissuta e siamo stati costretti ad accettarla, ci piacesse o
no, si trattasse di una scappatoia sostenibile per restare ligi alla Costituzione o si trattasse di una palese violazione di quelli che credevamo essere i nostri diritti
e le nostre sacrosante libertà di scelta. Anche questo è
stato il virus, e anzi, in subordine alla tragedia delle
centinaia di migliaia di vittime, è stato forse soprattutto questo. Abbiamo dovuto rifare i conti, e guardare in faccia ciò che credevamo scontato, solido, inat-
taccabile.

Anche un supermercato è in fondo un microcosmo
in cui puoi misurare la democrazia di un Paese. Fiamma mi ha fatto capire che quella libertà vissuta in modo così sguaiato da alcuni è anche il segno del disorientamento, dà la dimensione dello stress a cui tutti,
persone e comunità, siamo sottoposti ininterrottamen-
te da tanti mesi.

Dovremmo piuttosto chiederci: i nostri diritti sono
sospesi, sono solo provvisoriamente in bilico per le in-
certezze della pandemia che si ostina a trattenersi tra
noi? Oppure il virus ha finito col rimetterli in gioco
definitivamente, e rischia di sgretolare il patrimonio
di democrazia che tante zone del mondo si sono con-
quistate a partire dal Novecento?

Siamo malati, Fiamma, siamo malati tutti, purtroppo non c'è alcun dubbio. Siamo ammalati noi e sono
gravemente ammalate le nazioni che abitiamo. Ed è

pericolosamente ferita la democrazia sulla quale ogni giorno crediamo di poter contare, anche tra alti e bassi, anche con qualche diffidenza. Hai ragione, la democrazia non è solo la facoltà di poter usare a piacimento la libertà, la democrazia è rispetto ed è condivisione della propria maturità civica. Ed è per questo che ciascuno può ricavarne una misura nel suo piccolo universo, che sia un supermercato, che sia il proprio luogo di lavoro, che sia qualsiasi altro posto che frequenta.

Conservare la democrazia, conservarla ogni giorno, praticandola per sé e per gli altri, è un compito forse invisibile, forse sottovalutato, ma è un compito che servirà a non smarrire ciò che abbiamo ottenuto spesso con fatica, e per cui sono state a volte necessarie delle guerre.

Il virus ci ha colpiti tutti, e ha reso più o meno tutti confusi, spaesati. E dalla confusione raramente nasce qualcosa di buono. Il mondo vive le sue fasi di entusiasmo proprio nei momenti in cui avverte il senso della condivisione, la sensazione di una marcia verso il domani che ci vede tutti protagonisti, pienamente partecipi. Dividersi è l'arma migliore che possiamo fornire a coloro che lavorano per sbriciolare la democrazia.

Ti ringrazio, Fiamma, ti ringrazio per il bisogno di democrazia che hai avuto voglia di raccontarmi. E ti ringrazio per lo scorcio di mondo che ci hai mostrato. I supermercati sono stati il luogo nel quale abbiamo conosciuto davvero l'inferno nel quale da un giorno all'altro eravamo capitati. È lì che siamo stati in fila, che siamo stati distanziati, che siamo stati in attesa a volte per ore. Ed è quasi l'unica meta che eravamo autorizzati a raggiungere, esclusa casa nostra, magari soltanto per comprare il pane. Ci avevano raccontato che così avveniva durante le guerre, noi per fortuna non avevamo le bombe, eravamo solo accompagnati dal nostro stupore e da quella strana penombra a cui ci obbligano le mascherine. Allora ci dicevano che ne saremmo usciti presto. Ci chiedevamo quando. E ancora adesso spesso dimentichiamo di chiederci come.

Fantasmi senza diritti

Lucia

Si potrebbe dire che sono stata fortunata. Il lockdown, i coprifuoco, le zone rosse non hanno cambiato moltissimo il mio stile di vita. Almeno nei giorni feriali. Ogni giorno, o quasi, l'ho passato negli studi di La7, con i miei collaboratori, fino a tardi a preparare una puntata dell'*Aria che tira*. Sempre in onda, in zona rossa come in zona bianca. Ma quello che succedeva, tutto intorno a me, quello sì cambiava. In modo sensibile. Una Roma come abbandonata, con pochi rumori, nessuno in giro e il suono delle maledette sirene delle ambulanze ad accompagnarmi. Non era raro venire fermati, specie a marzo e aprile dell'anno scorso. Polizia, carabinieri puntavano le rare presenze a piedi che trottavano sul Lungotevere verso casa. Così un paio di volte è successo. Mi avvicinavano a piedi o in auto: «Documenti, per favore. Cosa fa a quest'ora in giro?». Rispondevo con educazione e loro con educazione mi lasciavano andare. A volte, mi riconoscevano e si socializzava in mezzo a tutta quella solitudine. «Un selfie, Myrta! Per favore.» «Che dicono i politici, Myrta?» Anche per le forze dell'ordine non doveva essere facile. Erano in fondo l'unica presenza umana nelle strade di Roma. Anzi no. Qualcun altro c'era. Ma era difficile interagire, persino vederli. Ombre silenziose che sfrecciavano sull'asfalto. Fantasmi. Poco interessati a te. Ne sentivi solo lo spostamento d'aria. Li vedevi sfrecciare sui loro mezzi di fortuna: motorini, più spesso bici. Sulle loro spalle gli ingombranti pacchi brandizzati ne deformavano le sembianze. Sembravano grandi tartarughe, ma velocissime. Correvano nelle vie senza traffico per raggiungere più clienti possibili e consegnarci cene, pranzi e colazioni. Come delle squadre colorate lanciate in una immensa caccia al tesoro in un mondo desertificato. Un panorama post-atomico. Con le strade che piano piano si stanno riempiendo, i rider sono ridiventati una presenza discreta, quasi normale.

Ma di normale c'è ben poco. Lo abbiamo visto già a proposito degli addetti alla consegna di pacchi a domicilio, ascoltando le storie di Ljuba e Monica. Dietro ognuno di quei pacchi c'è un lavoro spesso massacrante con pochi diritti e molto sfruttamento. Ma intanto la richiesta è esplosa. È la gig economy, bellezza! L'idea di partenza è nobile e innovativa. Soddisfare la richiesta di flessibilità di lavoratori e imprese, attraverso piattaforme digitali che ottimizzano domanda e offerta mediante algoritmi. In teoria, lavoro quando voglio e come voglio senza uffici e orari fissi.

In pratica, spesso, un imbuto senza uscita, in cui il singolo rider è costretto a turni stremanti per riuscire a raggranellare un salario decente. Con le aziende che ovviamente non garantiscono alcuna tutela perché si tratta di liberi imprenditori di se stessi.

Da anni la politica sta cercando di regolarizzare questo mercato sempre più in espansione, ma con scarsi risultati. Intanto loro corrono. Uomini ma, sempre più spesso, anche donne. Come Lucia, mamma e rider che mi scrive.

«Sono di Caserta, il 30 maggio faccio trentacinque anni. Ho due bimbi, Michele dieci anni, Giulia sei anni. Mi sono trasferita al Nord per cercare lavoro e raggiungere il mio compagno nel 2017. All'inizio non lavoravo, non trovavo nulla. Poi, ho iniziato a fare la commessa, ma il negozio, per la pandemia, ha chiuso. Così, da un anno ho deciso di fare la rider, visto che era una delle poche categorie che non si è mai fermata. All'inizio era anche un'occasione per uscire di casa. Mi hanno subito assunta in Just Eat, perché avevano molto bisogno. La richiesta con il lockdown era decuplicata. E per me va bene scegliere quando lavorare e quando no.»

Credo che il lavoro dei rider sia uno dei fenomeni più interessanti e indecifrabili del cosiddetto «nuovo mercato del lavoro». A metà fra dei liberi imprenditori di se stessi e dei subordinati con pochi diritti, si muovono e lavorano nelle nostre città lottando ogni giorno.

È un percorso ancora lungo, lastricato di rivendica-
zioni, scioperi, sentenze di tribunale, progetti di legge.
Lucia ci crede che le cose possano andare meglio.

«All'inizio non avevamo nessuna tutela, oggi con l'accordo raggiunto dai sindacati con Just Eat sarà una
rivoluzione: avrò la malattia, i congedi, avrò la tredi-
cesima. Sarà l'inizio di un grande cambiamento.»

Intanto fa le sue corse ogni giorno ai ritmi dettati da
un algoritmo.

«Io lavoro un massimo di sei ore al giorno. Non è una
mia scelta, ma è proprio l'algoritmo che impone un
max di tre ore a slot. Fino alle 23.30 la sera. A volte
le chiamate sono poche, altre sono pienissima, arrivo
a tredici consegne tra pranzo e cena. Se sei pienissima
e pedali come una matta arrivi a 60 euro netti. La sera ora lo faccio in macchina perché c'è più lavoro. Certo, la macchina ha più spese, paghi la benzina, però di
buono c'è che sei anche più tranquilla sotto il profilo
della sicurezza.»

Perché per le donne che lavorano c'è sempre qualche
problema in più: i figli, la paga e, spesso, la sicurezza
nel muoversi di notte per le città.

«La paga oggi è a consegna. Cambierà con l'accordo,
sarà a orario con un minimo di 8 euro e 50 all'ora, 6
centesimi per ogni km effettuato, 25 centesimi ogni

consegna. A 250 consegne, un bonus di circa 60 euro. Attualmente io sono sola con i miei bimbi. Questo è lo stipendio con cui viviamo tutti e tre. Non sto più con il mio compagno, viviamo con 1000 euro netti. Quindi per me è fondamentale pedalare e consegnare. Ultimamente sto avendo problemi per la Dad dei bimbi, perché loro sono a casa e non riesco a starci dietro. Negli ultimi mesi ho dovuto risparmiare per comprare la macchina, usata e a metano. Io abito in provincia, non proprio a Modena. In bici sono 40 minuti. Quindi, quando vado a fare lo slot devo partire con 40 minuti di anticipo. I bimbi la mattina devo lasciarli ai miei suoceri.»

Fra le righe della lettera di Lucia leggo tanta forza e tanta speranza. Per lei e per i suoi figli. Ma la giornata tipo che mi racconta mi mette i brividi, non mi pare degna di un Paese civile.

«Per risparmiare e non prendere autobus e macchina vado in bici e ci metto tanto. Andare in bici per fortuna mi piace, ma è un lavoro molto fisico. Se piove, lavori lo stesso. Indossi i vestiti impermeabili e vai ugualmente.»

Mi chiedo: sono giusti tanti sacrifici per un servizio in fondo non essenziale per tutti noi? Credo sarebbe ora di dare a Lucia e a tutte quelle come lei gli strumenti per riprendersi il loro tempo e la loro vita. E ho un'altra domanda nella testa. Stime ufficiose ci dicono che il numero dei rider è semplicemente raddoppiato nel

2020. Se prima erano 15mila ora sono circa 30mila a correre per bussare alle porte di tutta Italia. Ma se grazie ai vaccini e alle cure pian piano, se Dio vuole, inizieremo a uscire da questa maledetta pandemia, se fra qualche mese ristoranti e bar lavoreranno a pieno regime, quando gli ordini online cominceranno a calare, che ne sarà di tutta questa massa di lavoratori a cottimo? Trionferà ancora di più la legge della giungla, un frenetico procacciamento del cliente in barba a tutte le regole e tutele? Saranno ancora le donne a pagare il prezzo più alto in termini di sacrifici? Per questo, credo, bisogna agire in fretta.

Più forte dell'odio, più forte della morte

Liliana

Che sia il consiglio su un paio di scarpe o il pensiero sulle ferite che la vita infligge con punta affilata, lei c'è.

Ha una presenza che riempie tutto: le stanze in cui entra, le parole che abita, i secoli che interpreta.

Liliana Segre è il gigante e la bambina. La senatrice ragazzina. La sopravvissuta istrionica.

Liliana ha sempre un punto di vista sulle cose, e tutto sembra inedito, se rivelato dalla sua bocca.

Ma la donna col numero sul braccio e il cuore ricucito non è solo un pezzo di storia che cammina nel presente, è molto altro: una donna, madre e nonna, salvata dall'amore.

«Mi sembrava così impossibile, l'essere madre, che mi sono goduta ogni attimo. Un tale miracolo che non potevo perdermi nulla» mi dice subito, ancora rapita dalla sorpresa che «una come me» sia diventata madre felice e poi nonna preziosa.

E intanto, da quando la sua vita pubblica è diventa-

ta permeata dall'esigenza del racconto di sé e di sottrazione dall'oblio, Liliana ha affascinato generazioni di
donne e uomini, che sanno piangere con lei, partecipa-
re al dolore collettivo che la sua vita racconta, entrare
nel Novecento con la coscienza della colpa.

Ma mai con l'odio, contro cui Liliana ha deciso di
lottare, dedicando i suoi ultimi anni da senatrice proprio a questa battaglia. E neanche con il perdono, la
cui esecuzione appartiene alla sfera dell'intimo. Solo
con l'amore. Sì, l'amore è la sua parola. Crede ostina-
tamente nella potenza salvifica dell'amore, ma anche
in quello romantico e privatissimo delle favole.

Al nostro primo pranzo insieme, mentre io pendevo
dalle sue labbra e le chiedevo avida della sua vita, si fer-
mò all'improvviso, e guardando Marco, il mio compagno, mi disse: «Mi raccomando, non te lo perdere
quest'uomo. Era da tempo che non vedevo uno sguardo d'amore così cristallino, eppure così granitico».

E subito mi è entrata dentro con parole semplici e
una intimità che non ha avuto bisogno di tempo per
sbocciare.

Anche per questo, ho sentito l'esigenza di parlarle
delle mie donne, pubbliche e private, quelle raccolte
in questo libro-scrigno.

«Non ho nulla da dire sul Covid, mia cara. Se non
che purtroppo ho visto con i miei occhi cosa sono i
dopoguerra. E nutro poche speranze. Io so cosa succede dopo la pandemia, così come dopo la guerra, dopo aver superato il nemico visibile. La gente esce peggiore.»

Non ha nulla da dire, esordisce. Eppure, ha già detto tutto.

«La guerra ha in sé il suo nemico: poi arrivano gli sciacalli, quelli che se ne approfittano, quelli che non ti aspetti, che ti portano via la casa mentre sei all'ospedale.»

Liliana Segre, che ha sempre in tasca una risposta spiazzante, piange.

«Il mio è un pianto, non ho molto altro da dare.»

«I grandi dolori rendono muti» scriveva Seneca, rendendo tutti i suoi eredi grandi contenitori di silenzi trattenuti.

Eppure, quella culla muta si riempie di espressioni, di suoni, di ricerca se il dolore appartiene a una molteplicità di individui.

Quando la storia è corale, tante piccole storie si avvicinano per comporla.

Gli eroi della favola lasciano posto alla crudele realtà: tanti spettri e poche maschere. Il trucco si scioglie e resta il volto nudo, segnato, a volte rugato. Come quello che, pur nelle pieghe, ancora splende, di una eterna novantenne.

«È stata molto dura, mi mancavano i miei figli e i miei nipoti. Mi percepivo meno forte e affiorava di tanto in tanto la paura più terribile, quella di morire sola» ci raccontò Liliana, in quei giorni indimenticabili e sospesi del lockdown. Il suo isolamento nella primavera scorsa le è pesato come un macigno.

Ed è come se quella paura scivolasse ancora oggi nella sua voce. Lei, che ha affrontato il terrore, de-

cenni fa; lei, che ha marciato sulle gambe ridotte a
scheletro dopo il campo di sterminio per portarsi in
salvo, spinta dall'energia pura della sopravvivenza.
Proprio lei, che oggi è nel pieno dell'età del ricordo
e del riposo, non vuole aggiungere a sé altro dolore.

È una parabola molto significativa: tutti abbiamo prodotto una infinita quantità di aggettivi per dare un
senso all'anno appena trascorso. E invece lei, che mi
onora di un'amicizia profonda, saggia e costante, ane-
la alla parola perfetta che ancora non trova.

Ma la risposta è nelle tante curve della sua biogra-
fia privata: l'infanzia strappata a morsi dalla crudeltà, la lotta del suo corpo per sopravvivere allo sterminio, l'indifferenza dei buoni che spesso equivale
alla violenza dei cattivi, l'inciampo nella storia uni-
versale, il rientro a casa con la morte attaccata addosso.

«C'è il dolore squassante di vite stracciate da trau-
mi prodotti non da calamità ma da uomini. L'esperienza del trauma prodotto da altri esseri umani, specie se vissuta nel tempo giovanile, lascia un segno di
irredimibile terrore. La minaccia non è un'alluvione
ma l'altro... il potere della forza della violenza. Il potere di mutare il destino tuo e della tua famiglia.»

In queste parole, scritte da Walter Veltroni, rivedo
proprio l'esperienza di Liliana. Quella terribile, ine-
guagliabile, incancellabile sciagura del Novecento, impossibile da paragonare a qualsiasi altro trauma della storia.

Quella che ha messo l'uomo contro l'altro uomo, carnefice del suo simile, sterminatore del suo vicino.

Quando Liliana torna da Auschwitz è un mucchio di ossa e sgomento. Eppure, lo sguardo di quello che sarebbe diventato l'uomo dell'amore, suo marito, la illumina di vita.

«Mi salvò con l'amore quando lo incontrai a diciotto anni a Pesaro» racconta ancora commossa. «Guardò il mio tatuaggio sul braccio e mi disse semplicemente: "So cos'è".»

Sentirsi osservata, riconosciuta, capita la riporta da numero a donna.

Donna che ama col corpo e con il cuore.

«Il nostro è stato anche un grande sentimento fisico, il corpo ci ha salvato, ci ha fatto incontrare e riconoscere, nei momenti difficili.»

Liliana riesce in questa impresa: essere un libro di storia, e fare confidenze da amica per la pelle.

«Un solo uomo in tutta la vita! Quando lo dico, le più giovani si mettono a ridere.»

Quella nuova vita, per lei, è fatta di figli desiderati e amatissimi, di tranquillità rammentata nelle mura domestiche, di parziale rimozione del dolore. Anni di calore, sicurezza e oblio.

Ma non può durare.

All'improvviso arriva il vuoto, la mente che conosce la depressione acuta, il cortocircuito dal quale il lavoro, nuovamente, la porta in salvo, come un naufrago tra le onde dell'anima. E Liliana rinasce ancora dalle sue ceneri: come solo le donne sanno fare.

«Devi farti perdonare ogni giorno l'essere il padrone» mi dice al telefono commentando gli anni spesi a guidare la sua azienda di famiglia. Quella che lo zio non voleva cederle, perché «le donne di casa Segre non hanno mai lavorato». E invece lei si inventa imprenditrice, ama quel lavoro che la salva ancora dal ricordo di un buio che rischia di inghiottirla.

«A vendere la tela non ero bravissima, soprattutto a trattare con i clienti: un genere umano che neanche conoscevo. All'epoca, quelli che facevano le scarpe, non erano mica tutti Della Valle!»

Il corso delle cose è segnato da crepe invisibili: anche in quel caso Liliana ha cambiato pagina, sua e della sua famiglia.

Le donne, e anche su questo Liliana non è retorica. Dice cose semplici, essenziali.

«La pandemia rischia di nuovo di ricacciarci indietro? Farci pagare il prezzo più alto? Qualsiasi donna che abbia la testa sostiene il ruolo delle donne. Ti faccio un esempio, molto emblematico: in Israele, nella frangia minoritaria ma molto importante degli ortodossi, i maschi passano tutta la vita a studiare la cabala, mentre le donne vanno a lavorare negli uffici. Oltre ad avere il compito di fare un figlio all'anno.

«Non c'era bisogno della pandemia, dunque, per capire che le donne sono quelle che, quando rientrano dal lavoro, si occupano dei figli, accudiscono gli anziani.»

Ma torniamo a lei.

La terza vita è quella della testimonianza.

Della folla che ascolta e applaude. Del Quirinale e del Senato. Delle migliaia di cittadinanze onorarie. Delle ore spese a guardare negli occhi i ragazzi, suoi interlocutori prediletti.

«E io che volevo solo fare la libraia... era questo il mio desiderio profondo, quello che non si è mai avverato.»

Ma in serbo per lei c'era dell'altro: sempre un nuovo orizzonte di fantasmi e di rinascite.

Eh sì, per cancellare il buio che è dentro di lei, Liliana capisce a un certo punto che ha bisogno del soccorso delle parole.

Le cova a lungo, le cerca tra i ricordi indicibili e tra le pagine disperate di Primo Levi, le distilla, proprio come gocce di quel dolore sordo e indelebile che le hanno inflitto.

Le raccoglie con una tale cura, una tale precisione, un tale millimetrico equilibrio, che quando comincia a usarle diventano frecce appuntite che arrivano dritte al bersaglio.

Non ne sbaglia mai una. Per nessun motivo. In nessuna occasione. Neanche quando è stanca. Quando è emozionata. Quando è intimidita. Come quando entra la prima volta in Senato. O si affaccia palpitante nella grande sala del Parlamento europeo. Neanche in una battuta rubata all'uscita da una conferenza. Come fa? mi sono chiesta spesso.

Come può un'anziana signora che ha affrontato la vita pubblica a tarda età essere un oratore così perfetto e chirurgico?

Sì, me lo sono chiesta spesso in questi anni. Poi l'ho capito: per lei le parole sono come granelli di sabbia che costruiscono l'edificio della nostra umanità. Ognuna ha il suo posto. Il suo ruolo. Il suo peso. La sua insostituibilità.

In qualche modo, quelle usate da Liliana sono l'apoteosi della forza delle parole. Per questo devono esserci in un libro come questo.

«Ho scelto la vita» ripete nella sua ultima testimonianza pubblica a Rondine, dove ragazzi di Paesi in conflitto tra loro convivono nel segno del rispetto e della pace.

«Cari ragazzi, tocca a voi. Prendete per mano i vostri genitori, i vostri professori. In questo momento di incertezza prendete in mano l'Italia.» Un testamento morale che risuona urgente, importante, necessario.

Liliana Segre parla, oggi, come se fosse la nonna eterna dei nipoti suoi e degli altri. La «nipotanza» è uno stato d'animo. Lo avvertono i nipoti che si sentono legati alle radici, e lo provano i nonni, che vedono la vita allungarsi nel futuro.

Un ciclo generazionale eternamente concimato, di cui lei si prende cura.

Sono tante le donne della sua vita: la madre perduta troppo presto, la nonna presente e accudente, la governante Susanna, fedele fino all'ultimo istante, per cui ha fatto piantare un albero nel Giardino dei Giusti.

Ma anche la maestra che, ligia e distante, obbedisce alle leggi razziali, e le kapò, le indifferenti dagli occhi bassi.

«Le persone giuste lo sono anche per piccole cose. La fedeltà, per esempio.»

La più incrollabile delle virtù enunciata da Liliana mi ricorda la resilienza.

E mi riporta all'oggi.

È forse su queste radici che il «dopovirus» andrà ricostruito: fedeltà a se stessi, al senso di giustizia, alla voglia di riscatto.

Liliana conosce le donne, perché è una donna che ama le altre.

Anche la più ostica: Ursula von der Leyen, che ha incontrato al Parlamento europeo.

La presidente le ha scritto un messaggio accorato per ringraziarla della solidarietà mostrata dopo il sofa-gate.

«Lo ammetto, ho un avuto un problema con lei, quando ci siamo incontrate» mi confessa quasi imbarazzata. «Per me parlare con una tedesca resta un sacrificio. Non era l'istituzione, era la "tedesca" che avevo paura di incontrare. È stupido, ma umano. So con la testa che il mondo è cambiato, che la storia è andata avanti. Ma col cuore e col corpo ancora non ci riesco.»

Ecco, Liliana ha superato anche questo. Ha preso carta e penna e ha scritto alla donna che guida l'Europa in macerie per dirle che la comprende, che le è vicina, le è vicina eticamente, umanamente e soprattutto come donna per quel gesto misogino, quell'umiliazione subìta in Turchia che ci riguarda tutte.

«Cara Liliana,
Sono rimasta molto toccata dal Suo recente messaggio di solidarietà nei miei confronti. Il fatto che Lei, che ha conosciuto tanta sofferenza, mi abbia dedicato un pensiero per quanto accadutomi recentemente in Turchia, dimostra la Sua profonda dedizione all'uguaglianza tra esseri umani. La Sua infinita energia nel combattere il razzismo e l'intolleranza in qualunque forma sono una fonte di ispirazione per tutti.
Posso assicurarLe che userò la mia posizione per combattere la discriminazione in ogni sua forma...
Ursula»

Mi legge quel biglietto, vero, sincero, fuori dai protocolli con autentica sorpresa.

L'umano che lei ha in sé supera tutto. E irradia amore stupefacente.

È questa la migliore risposta che potessi ottenere.

La vergogna di Ankara

Angela e Ursula

Non tutte le donne vengono dalla gavetta. Non tutte fanno a botte con la vita per guadagnarsi un posto al sole. Alcune sono predestinate. E in fondo perché no? Perché non dovrebbero esserlo anche le donne? Siamo pieni di politici figli di... industriali figli di... professori figli di... A volte, viva Dio, si può puntare tutto su una donna. E vincere. Perché una donna come Ursula von der Leyen è un miracolo di competenza. Fin da piccola, cresciuta nel mito dell'Europa e nella conoscenza dei suoi meccanismi.

Il padre, Ernst Albrecht, è un alto funzionario della Commissione in Belgio negli anni Cinquanta, prima di diventare un politico. Sua madre, Heidi-Adele Stromeyer è ricercatrice universitaria (sarà uno sprone continuo nella sua carriera accademica). Ursula nasce a Bruxelles... Quando si dice il destino. Lei, tedesca, nasce nella città sede delle principali istituzioni europee. Nasce pochi mesi dopo la firma del Trattato di Roma (1958) che sancisce per la prima volta la comparsa della Cee (Comunità economica europea), il primo passo verso l'Europa unita. A Bruxelles, von der Leyen frequenta la Scuola Europea, una scuola multilingue d'élite (parla correntemente sia il francese sia l'inglese) per i figli di diplomatici e burocrati dell'Ue (la stessa che frequenterà pochi anni dopo Boris Johnson). Si trasferisce in Germania a tredici anni e continua il suo percorso perfetto, ma non lineare. Ursula, pensa un po', prima di trovare la sua strada, inizia con una passione di gioventù: l'archeologia. Solo dopo cambia idea e prende una laurea in Economia fra Gottinga e Münster, con un periodo, nel 1978, alla London School of Economics. E scusate se è poco. Non contenta, si iscrive anche a Medicina e si laurea un'altra volta. Insomma, un mostro (affascinante). Poi la politica e l'incontro con Angela Merkel, che è un po' il suo alter ego nella politica tedesca.

Difficile immaginare due donne più diverse. Quando ancora Ursula stava con i genitori a Bruxelles, Angela seguiva il padre, pastore luterano, nella Germania democratica dell'Est. Mentre, sfidando fili spinati e cecchini, migliaia di persone cercavano di passare nella Germania federale e in Occidente, la famiglia Merkel si spostava nel mondo comunista, nella Ddr dominata dall'Unione Sovietica. E lo faceva non per convinzione ideologica, ma per senso del dovere: c'era bisogno di un pastore luterano anche lì, nei Paesi dell'area sovietica. E così anche Angela si ritrova nella gioventù socialista, in un mondo che non condivide, ma in cui decide di restare per senso del dovere. Si laurea anche lei in materie scientifiche: Fisica e Biologia.

Il vero tsunami è l'89, la caduta del Muro. Le due donne così lontane si ritrovano improvvisamente nella stessa nazione e dalla stessa parte. Ma non da subito. Paradossalmente è Angela, che pure viene dall'Est, a gettarsi a capofitto nell'esperienza politica della Cdu. C'è un partito che per decenni nella Germania dell'Est nemmeno esisteva e ora è da rifondare: il partito di centro popolare e cristiano.

E così la ancor giovane Angela passa dalla Gioventù socialista (che era l'unico modo per poter fare politica in un Paese del Patto di Varsavia) al Partito conservatore. Lo fa come una donna libera che può, finalmente, scegliere la propria parte. Angela non rinnega il suo passato, non dimentica che nell'Est vivono ancora milioni di persone cui comunque il comunismo ha dato un minimo di certezza economica. Il libero mercato rischia di creare disparità e nuove povertà. Lo sa e forse anche per questo mantiene quello stile sobrio, poco appariscente, che l'ha caratterizzata negli anni. In fondo è cresciuta fra due chiese, quella comunista e quella cristiana. La politica, per lei, è un atto di fede e di tenacia. Lei ne ha da vendere. Helmut Kohl, lo storico primo cancelliere della Germania unita, la nota subito. La ragazza ha stoffa. La nomina a sorpresa ministro dell'Ambiente e della Sicurezza nucleare. Ha appena compiuto quarant'anni. È un gesto forte. Una ex comunista ministro? E della Sicurezza nucleare per giunta? Ma lei non si spaventa. Diventa uno dei ministri più amati. E quando dopo la sconfitta elettorale al governo va l'Spd, i socialdemocratici, lei si prende con forza la guida del partito. La nuova lady di ferro non fa sconti e nel 2005 diventa la prima cancelliera donna della Germania, una donna a capo del Paese più potente e ricco d'Europa. E Ursula? Ursula le deve molto. Politicamente quasi tutto. Ed è questo il bello della storia.

Quando Angela diviene la donna più potente di Germania, forse del mondo, si accorge che in un Land, una regione neanche troppo grande, la Bassa Sassonia, c'è un'altra donna che sta facendo cose egregie al dicastero locale della Famiglia. Ed è qui che questa storia, la storia di due donne, vissute per anni in due Germanie diverse, si fa unica e interessante. Angela si chiede: perché non chiamare Ursula al governo nazionale? Perché non affidarle la gestione di quello che è un punto cruciale e spesso nascosto, il lavoro delle donne? E così Ursula von der Leyen diviene ministro con grandi poteri. Nel 2005 ha già sette figli e un marito amatissimo. Sette figli e la capacità di essere deputato, ministro, consulente. «Come fa?» si sarà forse chiesta Angela. Lei che di figli non ne ha avuti e che ha un divorzio doloroso alle spalle (porta ancora il cognome del primo marito Merkel, il suo sarebbe Kasner). Così l'estrosa, elegante, occidentale, benestante Ursula finisce per fare sette figli e occuparsi del ministero della Famiglia, mentre la rigida, démodé, severa Angela conta due mariti, nessun figlio e quasi vent'anni da cancelliera. A volte la storia è strana, ma è anche bellissima. Perché quando le donne sono messe nelle condizioni di conquistare il mondo, lo fanno a modo loro, alla faccia degli stereotipi. Il binomio Angela/Ursula, in questo loro continuo scambio di ruoli e posizioni, ha guidato per anni la politica tedesca. La prima sempre cancelliera, la seconda chiamata a ricoprire ruoli delicatissimi: il ministero del Lavoro, il ministero della Difesa. Averne avute di donne così da noi! Forse da queste storie potremmo cercare di leggere il gap economico e culturale del nostro Paese rispetto ad altri. È facile, sta tutto qui: Angela poteva scegliere mille uomini, e tutti avrebbero applaudito, ha scelto un'unica donna, perché sa fare squadra. Sanno farlo in Germania. Da noi un po' meno.

Ma torniamo alle nostre due amiche teutoniche. Siamo nel 2019. Angela sente che il suo regno volge al termine. Se ne andrà con l'onore delle armi, con le fanfare forse. Di lei si potrà parlare bene o male, ma è un fatto che i governi Merkel resteranno nella storia d'Europa. L'austerity? I sacrifici imposti alla Grecia? Certo. Ma anche il risanamento economico, una logica matura dell'accoglienza, l'intransigenza sull'Europa unita contro le ingerenze esterne. Uscirà a breve Angela, lo sappiamo, dal palcoscenico della politica. Ha già detto che non sarà lei comunque la prossima guida della Germania. Però, ora, c'è un altro obiettivo che le preme ancora di più, l'Europa. L'austerity è stato forse il suo errore più grosso delle scelte europee. Se n'è resa conto per prima. È ora di cambiare pagina e registro. È allora che pensa a Ursula. Il suo alter ego, anzi la sua altra ego. La Commissione Juncker è stata un mezzo disastro, ma Ursula è benvoluta e stimata da molti. L'accordo c'è, la nuova guida europea avrà un volto di donna. È l'ultimo capolavoro politico di Angela per la sua amica Ursula. Uno sguardo al futuro. Forse una rivoluzione. Una donna in cima all'Europa, una nuova politica di sviluppo basata sulla fine dell'austerità. Tutto bene dunque? È questo l'happy ending della nostra storia? Purtroppo no, perché il mondo là fuori è ancora quello degli uomini e c'è ancora da lottare. Per capirlo a volte basta poco: un sofà magari, un sofà turco come vedremo fra poco. Perché le donne che certuni vorrebbero vedere sulla scena sono quelle che sì fanno presenza, che sì partecipano alla cosa pubblica, alla politica, ma poi in fondo stanno sempre un passo indietro quando arriva il maschio, il gran capo. Penso che la frase «Dietro un grande uomo c'è sempre una gran donna» sia la più pericolosa e ipocrita possibile. Un contentino. Riavvolgiamo il nastro, quindi e rileggiamo tutto a partire da un sofà.

La storia la conosciamo. Ursula va in visita ad Ankara con il presidente del Consiglio europeo, Charles Michel (da un punto di vista politico infinitamente meno importante di lei) ed Erdoğan li accoglie. All'apparenza pieno di buone intenzioni, simpatia e via dicendo. Solo che quando si entra nella sala delle udienze, la sontuosa sala del nuovo sultano turco, le sedie sono soltanto due. E, guarda un po', a chi toccano? Ai due maschietti ovviamente.

Quando ho visto quelle immagini ho provato molta rabbia. E mi sono fatta due domande. Perché Ursula non è andata via? Perché è restata lì, in disparte sul sofà? Mortificata, impotente, figura dipinta su una tela offerta al mondo, dai colori sconfortanti. E cosa dobbiamo immaginare del progetto politico del signor Erdoğan? Lui ha trattato una donna come a suo avviso va trattata, ricordandole la sua subalternità inevitabile, al di là dell'autorevolezza del suo ruolo. Non conta con quale carica Ursula von der Leyen si fosse presentata nel palazzo presidenziale di Ankara, il protocollo ufficiale prevedeva il maschilismo. Spontaneo o consapevole, non importa. È comunque il segno della prevaricazione, il comportamento che calpesta l'ordine naturale del mondo, con lo scopo di ripristinare il personale Medioevo di cui Erdoğan si fa profeta, e forse del quale si serve per dare un sapore più intenso al suo sultanato.

E dire che proprio a Istanbul la storia aveva collocato dieci anni fa la sua celebre Convenzione. La Convenzione del Consiglio d'Europa sulla prevenzione e la lotta alla violenza contro le donne e la violenza domestica. La Turchia fu il primo Paese a ratificarla, ma è un'epoca lontana in cui Erdoğan non aveva poteri assoluti e non lo avevano ancora delegato a prendere per il collo i diritti del suo popolo.

Ma ripeto, mettiamolo da parte. La domanda chiave è un'altra, sempre quella: perché Ursula non è andata via da quel sofà? Seduta e smarrita, pensava al suo ruolo di presidente sacrificato da una gaffe istituzionale o alla sua figura di donna schiacciata dalla crudeltà esibita di un capo di Stato? Quel video, quella fotografia resteranno nella storia delle immagini. Possiamo chiamarla l'immagine della vergogna, e anche l'immagine della nostra coscienza. Ognuno sul profilo di quella tela ci vede quel che crede. Un giorno giudicherà quell'immagine come il simbolo di un'epoca che si illudeva di viaggiare verso il domani, verso la normalità degli equilibri umani, e che invece sotto sotto faticava a uscire dalla propria palude. E allora quella non è soltanto l'immagine dell'imbarazzo di una donna, ma del mondo intero. Eppure Ursula è una che ce l'ha fatta. Lei il tetto di cristallo l'ha sfondato. «Voglio vedere più donne in posizione di leadership. Le ragazze possono essere medici, avvocati, astronauti. E possono anche essere dei presidenti. Quando erano molto giovani, alle mie cinque figlie ho detto che non esiste un lavoro per gli uomini e uno per le donne.»

Così ci aveva raccontato. E io le avevo creduto. Ma quella leadership di cui parla va praticata, va forse, qualche volta, anche esibita, soprattutto al cospetto di chi la offende, la soffoca col gusto di farlo, con la convenienza politica di mostrarlo. Non so cos'avesse nella testa Erdoğan quando ha allestito il suo set. Sono certa però che aveva per lui il valore di un fotogramma da consegnare ai turchi e al mondo. Il suo messaggio dirompente, per dire: così io parlo all'Europa, così io parlo alle donne. Ursula avrebbe dovuto capire che in quell'istante altro non era che lo strumento usato per restaurare i fondamenti di una cultura della discriminazione. Per questo insisto, per questo pretendevo che al proposito simbolico di Erdoğan si fosse risposto con altrettanta energia simbolica trasformando in una sconfitta rumorosa ognuna delle sue intenzioni.

Di nuovo. Ancora. Come un'ossessione. Perché invece Ursula è restata lì? Forse perché inchiodata dalla sua stessa incredulità, dal disagio che a volte procura a tutte noi il comportamento sconcertante di altri. Come se quel disagio si trasferisse al protagonista sbagliato, alla vittima e non al carnefice. Io ho subito pensato che Ursula dovesse andarsene. Sì, doveva alzarsi, girare i tacchi, prendere la sua borsetta e salutare tutti. Avrebbe reso quel pomeriggio istituzionale un appuntamento indimenticabile, lo avrebbe impresso brutalmente negli occhi di tutti noi. Oggi avrei scritto che Ursula era stata la Rosa Parks dei nostri tempi, colei che con la sua ribellione riscriveva un pezzo dell'umore e della maturità del mondo. L'avremmo vista, insomma, come la donna capace di dare uno spintone al corso della storia, ciò che avverrà forse fra cento anni lei l'avrebbe fatto accadere nel giro di qualche secondo. Senza eserciti e senza armi, con un gesto solo. Con un rifiuto. Ursula doveva andarsene. Doveva andarsene perché il suo e il nostro disagio vibrava, eravamo tutte in quel salone, tutte col magone dentro, messe in disparte come lei. Noi non siamo Ursula, ma quel giorno Ursula poteva essere tutte noi. Capisco che il presidente della Commissione europea possa vivere le sue paure e il suo pu-

dore come qualsiasi altra donna. Ma quell'invito a se-
dere un po' a distanza, non dove siedono i potenti veri,
i potenti maschi, lei doveva accoglierlo come la grande
occasione per richiudere il Medioevo nei libri di storia
e mettere a nudo l'arroganza fragile di Erdoğan. Lei poteva, poiché un ruolo politico prevede riunioni e nego-
ziati, prevede etichetta e diplomazia, ma consegna anche il compito della proiezione. Avremmo fatto molte
meno chiacchiere sulla von der Leyen, sulla Merkel e
sulla Lagarde, se sulla loro condizione di donne non
avessimo potuto proiettare finalmente ciò da cui siamo
escluse da secoli, ciò da cui i sacerdoti del buio come
Erdoğan credono di doverci tutt'ora tenere fuori, su un
sofà a distanza debita.

Anche monsieur Charles Michel rappresenta in questa vicenda più della sua propria fisica. Lo ricorderemo come il burattino usato da Erdoğan, legato ai fili
della strana etichetta scelta dal premier turco. Non ha
impugnato il bisogno di alcuna solidarietà, non ha
pensato nemmeno per un attimo che accanto a lui, e
con lui tra i protagonisti, stesse accadendo qualcosa
di inaccettabile. Languido e accomodante malgrado
la follia che aveva intorno. S'è accorto di tutto dopo,
quando era ormai troppo tardi, quando lo sdegno del
mondo si era già acceso guardando le immagini che
arrivavano da Ankara. Ha dichiarato di essere penti-
to, di non aver dormito da quella notte, di aver cercato Ursula von der Leyen per scusarsi, senza riuscirci.
Se vuole il perdono di coloro che sono in grado di vedere e pensare, monsieur Michel, possiamo anche ac-

cordarglielo, per pura indulgenza. Se ritiene di aver diritto a una qualsiasi assoluzione politica, per me può dimenticarsela. Di uomini che non vedono non abbiamo alcun bisogno, poiché non ci accompagneranno in un mondo migliore, di politici che non colgono vogliamo al più presto liberarci.

Io non cercavo in Ursula l'emblema di una ribellione sguaiata, ma volevo il nuovo simbolo di una forza tutta femminile, civile e ferma. Ferma come chi blocca per un istante il flusso degli eventi e riesce a rimodellarli, ferma anche solo come chi dice un semplice: «No, grazie, io non siedo nella preistoria».

Il suo è stato invece il silenzio indotto da un timore, il silenzio della subalternità mal digerita, ma accettata, e allora Ursula è forse diventata il simbolo vivente di ciò che tante donne sono costrette a vivere quotidianamente, di ciò che purtroppo vivono già, a casa, in famiglia, sul lavoro, non di ciò che meritano di vivere. Molte di voi me l'hanno anche scritto: è successo anche a me, è capitato in una riunione importante, a un colloquio di lavoro. Spinta sul gradino sotto. Come nulla fosse. Come fosse normale. Ecco, Ursula ha fatto emergere un pezzo di vissuto collettivo.

Aveva l'occasione per aprirci una finestra sul mondo nuovo, ci ha solo mostrato il mondo com'è.

Ora sappiamo che anche per una leader come lei la condizione di donna ha prevalso sulla sua carica di potente del pianeta. L'istinto non le ha dato la forza di reagire e forse per resilienza, per pietà, per senso del dovere ha preferito un profilo dimesso, quello che spesso si vede nelle donne che soffrono la discriminazione sulla loro pelle.

Ursula von der Leyen, Christine Lagarde, Angela Merkel. Le abbiamo citate mille volte l'una accanto all'altra. Sono le facce del risveglio dell'Europa, sono leader vere e sono donne, e non possiamo accontentarci che ciascuna di loro si limiti a restituirci il grigiore del mondo così com'è. Hanno un'autorevolissima vita pubblica, e quella vita hanno il dovere di metterla a disposizione delle aspettative del nostro progresso. Tutto sommato, non mi importa delle tracce che sapranno lasciare le reazioni personali di Ursula, mi interessa però che sappia scavare un solco politico vero e indelebile durante il suo passaggio. Se la von der Leyen ha davvero la forza e il desiderio di riequilibrare il mondo, è bene che lo faccia all'interno dei palazzi del potere con la civiltà forte del rifiuto.

Solo così potrà garantire a tutte noi ancor più di quel che avrebbe voluto il mio sdegno di quelle ore: un'Europa migliore, un continente che abbia lo stile solido e orgoglioso delle donne, che sia costruito davvero su giustizia e tolleranza, e su tutto ciò che Erdoğan ignora.

E sì, lo voglio.

Lo voglio per mia madre, che ha dedicato la vita al traguardo della dignità femminile, al traguardo della libertà. Lo voglio per mia figlia, che merita un mondo in cui tutti gli Erdoğan siano spinti nel passato, nel quale l'aria fresca del progresso ci tolga dai piedi una volta per tutte quel vecchio e indecente sofà.

4
Sperare

L'ospite inatteso

Monsignor Ravasi

Un libro in fondo è come una casa, dove l'ospite accoglie, si stupisce, si lascia persuadere dal racconto. In questo mio viaggio ho ospitato una moltitudine di donne, quasi una polifonia. Vive nella vita reale o vive nel ricordo di chi le ha amate; mamme e senza figli, avvolte dal dolore o rinate dalle loro ceneri; donne che ho incontrato anche solo per un momento, che mi hanno incuriosito, ammaliato, fatto piangere, o sconfinare nel riso.

Poi ho pensato di chiedere a un uomo il suo punto di vista sullo tsunami di questi mesi. Ho voluto mettere in queste righe le parole di un solo uomo, uno in particolare, perché mi sono sembrate potentemente belle, e la bellezza nelle parole è come un giardino d'estate. Ed è necessaria, necessaria perché qui parliamo di speranza, e le parole del cardinale Ravasi mi arrivano e vi arrivano dopo aver raccontato la sofferenza di tante donne.

Monsignor Ravasi è un uomo di Chiesa, soprattutto un uomo innamorato del dialogo. In fondo, sarebbe riduttivo pensarlo come un sacerdote o anche come un cardinale. È questo ma è tante altre cose. È uno studioso, un professore, un amante dei classici latini e greci fin dalla giovinezza. È un archeologo appassionato che ha studiato e vissuto in Siria, Giordania, Iraq e Turchia. *In partibus infidelium*, direbbe lui, con un sorriso sornione: nei luoghi degli infedeli, come venivano chiamate un tempo dalla Chiesa quelle aree del mondo non convertite al cattolicesimo e che quindi erano inaccessibili a preti e porporati. E invece Gianfranco Ravasi in quelle terre c'è stato, a portare e a ricevere l'altro. Un uomo di fede, dunque, che non si arrocca mai su posizioni preconcette.

Papa Benedetto XVI lo ha chiamato a Roma come presidente del Pontificio Consiglio della Cultura e lui non si è lasciato intimorire dall'aria austera e tradizionale dei corridoi vaticani e ha continuato a fare quello che ha sempre fatto: leggere, ascoltare e comprendere. Così ha portato la Santa Sede fino alla Biennale di Venezia, coinvolgendo artisti come Studio Azzurro, Josef Koudelka, Lawrence Carroll per lasciare una loro impronta con quella prima straordinaria partecipazione. Ma, naturalmente, non è per questo che ho deciso di ospitarlo in questo libro. E non è neanche perché monsignor Ravasi ha annunciato la creazione di una Consulta femminile all'interno del Vaticano, con trentasette donne scelte tra diverse nazionalità, religioni, professioni, opinioni politiche e stato civile. No, non è per questo. O almeno non è solo per questo. Il motivo vero è che sono rimasta affascinata dalle sue parole sulle donne e vorrei condividerle con voi come spunto di riflessione. Questo sacerdote che tanti anni fa ha fatto voto di castità, che non ha figli, che non ha mai avuto moglie, mi è sembrato più in sintonia con il nostro universo di tanti uomini che ci hanno forse conosciute più da vicino... Cosa mi è piaciuto subito di Ravasi? Che non ha paura della verità.

«Per noi maschi, c'è sempre la difficoltà di entrare in un campo minato, che è l'esatto contrario del mio approccio. Io sono estremamente curioso del punto di vista dell'universo femminile.

«Nel mondo scientifico che frequento abitualmente si consuma molta energia per approfondire le neuroscienze, l'intelligenza artificiale, la genetica. Ed è certamente importante lo studio di quello che potrei chiamare un nuovo fenotipo antropologico, una sorta di transumanesimo moderno. Però alla fine è argomento così dibattuto, così spinoso e spesso astratto che credo sia più importante concentrarci su questioni più "umane", interloquire con persone che hanno una base comune ma allo stesso tempo uno sguardo diverso. In questa prospettiva, lo sguardo femminile mi è prezioso.

«Ho ragionato sul tema del lockdown, sia con i ragazzi sia con le donne delle due consulte che ho creato in Vaticano e la prima cosa che ho notato è che fino ai trent'anni non c'erano grandi differenze qualitative tra uomini e donne nel vivere la pandemia. È solo dopo, quando iniziano i problemi, certe interazioni familiari complesse, che la situazione cambia: si è sposati, ci sono dei figli e allora l'orizzonte divide lo sguardo degli uomini e delle donne. Ho ripensato così a quel dato un po' inaspettato dell'Istat che rilevava il crollo della natalità nel periodo del lockdown.»

Sorrido, mi vengono in mente i tanti opinionisti da social, i tanti giornalisti anche titolati che prevedevano chissà quanti nuovi nati a causa della forzata immobilità domiciliare. Un ragionamento troppo semplice, troppo scontato.

«Il fatto è che la convivenza non necessariamente unifica, può anche allontanare. Mi viene in mente Nanni Loy che negli anni Sessanta, i più anziani lo ricorderanno, faceva delle bellissime inchieste giornalistiche, piene di ironia. Una volta con la sua troupe Rai si inerpicò sull'Aspromonte a vedere come vivono il tempo libero le famiglie contadine. Salendo tra monti e valli isolate, incontrò un pastore che sedeva con sua moglie, silenziosa e timida, davanti alla sua casa di pietra. "Come vive il tempo libero?" chiese Loy. Il pastore restò interdetto per un po', poi aprì la porta e chiamò fuori i suoi sette figli. Ecco, quella era un altro tipo di convivenza... Quella forzosa che oggi viene vissuta non riesce a elaborare l'esperienza dell'assenza.»

Credo che le parole di monsignor Ravasi, come poche volte succede nella vita, siano una sorta di dono.

Delle illuminazioni tramite il linguaggio. Il fatto cioè che l'altro non ti sia sempre accanto è un dato imprescindibile della passione amorosa.

«Quando si parla di rapporto fra innamorati, i cristiani citano spesso il *Cantico dei Cantici*. Citato da tutti, ma letto poco. Eppure sono solo alcune strofe, 1250 parole in ebraico (4 fogli). Ecco, prendiamo il *Cantico*. Una delle sue componenti più importanti è l'assenza dell'amato. Quando lui è assente. Quando torna, la sua donna per punizione lo tiene fuori dalla porta. Ad aspettare. L'amore insomma viene rinfocolato dall'assenza. L'assenza crea desiderio. Fino al momento più bello in cui lei dice a lui: "Mettimi come sigillo sul tuo cuore, come sigillo sul tuo braccio; perché forte come la morte è l'amore; tenace come gli inferi è la passione: le sue vampe son vampe di fuoco, una fiamma del Signore! Le grandi acque non possono spegnere l'amore, né i fiumi travolgerlo. Se uno desse tutte le ricchezze della sua casa in cambio dell'amore, non ne avrebbe che disprezzo".»

Questa citazione mi scuote, il pensiero si perde nel sogno: è il potere della poesia. Che mette radici nel cielo, oltre la terra. «Sigillo.» Quella parola mi risuona in testa. Cos'è il sigillo? Perché lei chiede a lui di essere il suo sigillo? Il cardinale, come sentisse quella mia domanda interiore, comincia a spiegare.

«Il sigillo era l'identità, ciò che veniva mostrato alla frontiera per farsi riconoscere. Essere il sigillo dell'amato vuol dire divenire la sua essenza, coincidere completamente, essere una cosa sola. Confondersi.»

È questo l'amore, ne sono certa. Quella adesione totale all'identità dell'altro, quella fusione perfetta tra due corpi e due anime: una sensazione rara e preziosa provata, forse una volta, da chi è fortunato. E quest'uomo di Chiesa me l'ha spiegata, inaspettatamente, meglio di chiunque altro.

«Pensate quanto desiderio c'è fra due innamorati quando si conoscono poco e vivono lontani. Quando inizia la convivenza l'amore scema. Basta pensare a quanto curi il suo aspetto la donna (ma anche l'uomo) ai primi appuntamenti e quanto invece ci si lasci andare nella convivenza. Immaginiamo una convivenza forzata!»

La seduzione ha bisogno di lontananza, di distanza.

«Non è un caso che nel *Cantico dei Cantici* l'elemento più sensuale e più forte sia lo sguardo. Al contrario, l'educazione sentimentale del nostro tempo ha cancellato questi preliminari, tutti gli elementi non diretti e non espliciti sono sempre meno importanti.

«Il linguaggio umano, ci dicono gli studiosi, nel tempo si è sempre allargato, ha aumentato il suo lessico. Negli ultimi anni, no, è accaduto il contrario. Sempre più termini vanno perduti. E proprio come aveva previsto Umberto Eco, i ragazzi e le ragazze oggi si dicono tutto con 800 parole, e pensare che lingua italiana ne conta oltre 160mila. L'impoverirsi del linguaggio è qualcosa che ha i suoi risvolti pratici, anche nel modo di vivere l'amore e la sessualità. Senza le parole è difficile costruire un'interiorità. Bisogna parlarsi, dialogare per poter ottenere il silenzio. Blaise Pascal sosteneva che in amore, come nella fede, i silenzi sono molto più eloquenti delle parole. Ma non un qualsiasi silenzio, bensì il silenzio bianco, quello in cui, appunto, le parole non servono più e possiamo far parlare direttamente le nostre anime. Quello che proprio come il bianco contiene in sé tutti i colori delle nostre emozioni. Quello che invece dobbiamo temere è il silenzio nero: l'assenza di parole, di pensiero, di sentimento.»

«Il silenzio nero», un termine oscuro che mi fa tremare. Una tenebra di solitudine e straniamento che si respira attorno a noi. Se il silenzio bianco è pieno di parole, proprio come il bianco è pieno di colori, il silenzio nero è un vuoto di sentimenti, di emozioni, e dunque di parole.

E qui mi spingo a chiedere al cardinale del ruolo della sessualità.

«Da qualche anno i giovani incontrano per prima cosa la sessualità e la sessualità per sua natura è il cammino più semplice. Primordiale. È il nostro istinto animale. Intendiamoci, è fondamentale. La sessualità è ciò che ci permette di generare, di riprodurci. Ma l'essere umano è capace di un secondo livello. Quello che dai Greci in poi noi chiamiamo Eros. Eros vuol dire scoperta della bellezza dell'altro. Non solo. Della tenerezza dell'altro. Che è la cosa più importante. Oggi l'Eros è l'elemento meno valutato, anzi meno conosciuto. Tanto da essere scambiato per sesso. Due innamorati, per esempio, che devono comunicare tra di loro, lo fanno spesso attraverso il cellulare, anche quando sono insieme. Il cellulare per sua natura ha un linguaggio semplificato che cancella la possibilità della tenerezza. Ricordo ancora quando morì mia mamma e noi figli scoprimmo tutte le lettere d'amore che si era scambiata con mio padre quando lui era al fronte... una tenerezza infinita.»

E così ripenso alle mie lettere, quelle che scrivevo tanti anni fa e che oggi non scrivo più. Perché è così: ci scriviamo cose bellissime con le persone che amiamo, che si perdono tra smartphone, chat, fragili memorie tecnologiche, chiavette e iCloud. Tutto incorporeo, nell'epoca del corpo liberato. Strana contraddizione, penso tra me.

E qualcosa si perde, si perde irrimediabilmente.

Improvvisamente immagino bambino quest'uomo colto, algido, con il clergyman cangiante, la sua croce pesante al collo, con quei genitori tanto amati, quella madre insegnante («Io forse immodestamente posso dire di essere intelligente, ma la vera genialità l'ho conosciuta in mia madre» mi confessa commosso), e il padre antifascista che l'8 settembre risale a piedi tutta la penisola per tornare alla sua famiglia. È così umano, adesso, il cardinal Ravasi, ma non c'è tempo di distrarsi. Lui passa rapidamente dall'Eros all'amore.

«Si arriva così all'amore vero e proprio, all'Agape, come lo chiamavano i Greci. La donazione totale. A quel punto salta anche qualsiasi elemento strettamente carnale, materiale. È un sentimento che va oltre il tempo. Come diceva John Donne alla sua amata ormai non più giovanissima, «Nessuna bellezza estiva ha la grazia che ho visto in un volto autunnale».

E qui ho un brivido perché John Donne, poeta inglese dell'epoca elisabettiana, è uno dei miei poeti preferiti, uno di quelli che più di ogni altro ha saputo raccontare la tenerezza dell'amore. Proprio il poeta i cui versi tengo stampati davanti al mio letto.

Intanto monsignor Ravasi sta recitando un verso in ebraico antico, sembra quasi che canti, non lo capisco ma mi risuona come fosse una cantilena, uno scioglilingua, ne percepisco il fascino al di là del significato.

«È sempre il *Cantico dei Cantici*. Vuol dire: "Il mio amato è mio e io sono sua". Se ci pensate è qualcosa di simile all'"Ama il prossimo tuo come te stesso". Non è contrario al messaggio di Gesù. Qualcosa che è immediatamente percepibile nella figura della madre, pronta a sacrificarsi per la salvezza dei figli. E questo è insito nella relazione Eros-Agape, cioè il rimanere sempre vigili nell'altro, non perdere la propria attenzione.»

Attenzione reciproca, la chiave è tutta qui. Nel senso che dietro lo splendore dei versi il significato finale deve essere quello. Quello che tendiamo ogni giorno a dimenticare.

Ci risiamo, la radice dell'amore è nella madre.

«C'è qualcosa di inscindibilmente materno nella donna. Il rapporto madre-figlio è, lo dice anche Freud, una relazione unica, l'esperienza dei nove mesi è primordiale, totalmente inaccessibile all'uomo.»

Il pensiero mi corre come un brivido alla mia prima esperienza di mamma. Avevo ventisei anni quando con una emozione indicibile andai a fare la prima ecografia. Il primo battito del cuore di mio figlio fu una sensazione di grandissima tenerezza, ma anche di paura, interrotta a sorpresa dalle parole del ginecologo: «Sentiamo il secondo battito?». «Il secondo battito?!» Sì, ce n'era un altro. Erano due bimbi, due gemelli che aspettavo. E allora alla gioia, alla tenerezza, allo stupore, si aggiunse una sensazione nuova: un senso di potenza, di forza. Una consapevolezza della propria capacità di procreare che supera il panico e l'ansia.

Così mi vengono in mente le donne di tutti i tempi e di tutti i giorni, le donne che ho incontrato, quelle cui voglio bene. Una su tutte, mia figlia che studia all'estero con passione e con la convinzione di poter conquistare tutto ciò che merita. Ma anche i mille volti di questo libro: la forza incredibile di Liliana Segre, rinata sempre a nuova vita; l'intelligenza scientifica di Ilaria Capua in un mondo di uomini, ma anche la resistenza e la capacità di sacrificio di una ragazza come Ljuba, in nome di quel bambino che porta in braccio.

Mi viene naturale a questo punto pormi la domanda delle domande: esiste allora davvero una differenza fra uomo e donna che è anche una differenza d'approccio, di visione? Forse nata proprio da questo senso innato di maternità...

C'è una peculiarità femminile che possiamo trovare nelle donne che stanno prendendo faticosamente il potere nel mondo, da Angela Merkel a Ursula von der Leyen, da Kamala Harris a Christine Lagarde? Avremo un mondo più pacifico con più donne al potere?

«C'è un modo diverso di pensare, una diversa visione del mondo. L'uomo prova una necessità intrinseca di possedere, di avere, ma anche di distruggere. Io la chiamo la dimensione del bisogno. La dimensione del femminile è invece quella di voler far crescere, in qualche modo di donarsi. È tipico del desiderio, questo termine meraviglioso dell'italiano che viene dal latino: "*de sidera*", che significa "mancanza di (delle) stelle". Il femminile sente la mancanza di queste stelle, di questi segni e mira a ricomporli, non a possederli. Bisogno contro desiderio: credo stia qui la chiave di lettura. Attenzione, non sono però delle posizioni fisse. Ci può essere molta femminilità nell'uomo e, viceversa, molta mascolinità in una donna. L'errore più grande che la cultura e l'educazione hanno fatto e fanno è di castrare queste parti negli uni e nelle altre.»

Fare pace con la propria parte femminile è una delle grandi caratteristiche dell'uomo risolto. «Non devi piangere», «Non devi commuoverti»: sciocchezze che rovinano l'evoluzione psicologica di migliaia di maschi. E delle donne. Un altro luogo comune devastante è quello delle donne che si combattono fra loro. Devastante perché a forza di pensarlo diventa vero. La sorellanza come specchio della fratellanza non è mai esistita. Le peggiori nemiche delle donne sono le donne stesse. Critiche, negative, pronte a denigrare posizioni e azioni di colleghe e amiche. In competizione e nemiche. Invece il mondo maschile, per quanto in conflitto, riesce sempre a fare cordate. Ma torniamo alle parole del cardinale. L'obiettivo, ci dice, è ricostruire un dialogo fra i generi nelle loro reciproche differenze, che ci sono e quindi vanno preservate. Esiste dunque una differenza fra i generi? È percepibile nelle azioni di tutti i giorni, nella vita che portiamo avanti?

«Io credo che la differenza maggiore sia nell'indifferenza, scusatemi il gioco di parole. Non so, faccio fatica a immaginarmi una donna che tortura. Mi pare ci sia in voi una maggiore sensibilità al dolore, alla sofferenza, che è difficile trovare nell'uomo. E questo forse per una questione storica. L'uomo si è come assuefatto al potere che ha esercitato e quindi agli orrori che esso comporta. La donna non lo è, la sua empatia può aiutare a cambiare questo mondo, prima che anche lei finisca per cadere nella stessa trappola. Credo davvero che l'intelligenza femminile possa portarci fuori dalle secche dell'eccesso di scientismo. Il ragionamento scientifico è fondamentale, ma non è l'unico. L'essere umano ragiona anche attraverso altri canali, ha altri modi per esprimersi. Credo che l'essere vivente non possa fare a meno di questa componente umana, che oggi come oggi vedo soprattutto nelle donne. Spero in loro per il futuro.»

Insomma, la speranza è uscire dall'indifferenza. E questa speranza ha la forma di donna, della sua capacità di lottare e di uscire dal giogo di un mondo appiattito sull'economia e sulla scienza.

«Per secoli la storia dell'uomo si è basata su due pilastri: la religione, tutte le religioni, nel bene e nel male, e la cultura, nel senso più ampio, compresa la politica. Oggi lo spazio di questi due attori si sta riducendo. La cultura in particolare è afona, non riesce a prendere la parola come faceva in passato. Aleksandr Solženicyn ricordava che "il mondo moderno ha spezzato il ramo del vero e il ramo della bontà. Solo rimane il ramo della bellezza, ed è questo ramo che dovrà assumere tutta la forza della linfa e del tronco".

«Ma questo ramo da solo non basta, non può dare queste prospettive, anche se la bellezza è fondamentale. È ciò che ci risveglia dall'ordinario. Però da sola non riesce a spiegarci i fenomeni epocali che stiamo vivendo: prendiamo le grandi migrazioni in Europa, che sono un primo assaggio di un processo che andrà avanti ancora per secoli. Un processo che ricorda l'arrivo dei barbari dentro l'Impero romano. I barbari sono in fondo i nostri antenati, dobbiamo quello che siamo all'unione fra queste nuove popolazioni e la tradizione del mondo classico. Però, appunto, la società latina aveva una forza interiore che le permise di imporsi culturalmente. Sant'Agostino, uno dei massimi pensatori dell'umanità, scrive *La città di Dio*, mentre i Visigoti assediano la sua città (assedio in cui troverà la morte). Quegli stessi Visigoti, però, vincitori sul campo di battaglia, si convertiranno pochi anni dopo al cristianesimo di Agostino. Oggi, non è così. L'Europa è un ventre molle, si sente poco, troppo poco. Ma nonostante questo, resto ottimista. Bisogna esserlo per le nuove generazioni. Bisogna lottare per chi oggi sta nascendo e vedrà forse l'alba di un nuovo secolo nel 2100.»

Esco dalla stanza che ha ospitato le nostre parole, e anche i nostri silenzi. Sono grata, sono arricchita. Scendo le scale, ancora assorta. Fuori piove una pioggia finissima, che riflette la luce sui ciottoli di via della Conciliazione. Volto lo sguardo e la cupola mi trafigge nel suo abbraccio. Inciampare, ma sempre alzare lo sguardo al cielo. È questa la lezione, questo è il sapore della vita.

Un finale ancora da scrivere

Rosy

Non esistono storie semplici. Mai. O meglio, forse esistono nei tabloid, in certe trasmissioni, in certi giornali dove tutto è bianco o nero, dove tutto va al suo posto, facile facile. Ma una storia, se ci vai a fondo, è sempre fatta di parti e di diverse interpretazioni: una sorta di domino che, una volta colpito il primo pezzo, non sai più dove andrà a finire.

Quella che vi voglio raccontare è una storia d'amore. È la storia di Rosy. Una vita tranquilla, una famiglia come tante a Monza, un marito, quattro figli, l'ultimo, ventenne, ancora in casa, gli altri grandicelli che si stanno facendo una vita. Qualche screzio, qualche litigio, come tutti. Poi, qualcosa cambia. Alice, la maggiore, inizia a frequentare uomini sbagliati. Uomini incapaci di amare che credono di farlo attraverso le botte, gli schiaffi e i calci. Perché Alice non si ribella? Perché non denuncia? Perché non cambia? Proprio perché non è mai semplice. È sempre maledettamente complicato. Perché spesso c'è una relazione fra vittima e carnefice che è dura rompere. Perché a volte sei tu, donna, che per qualche dannato motivo non riesci a uscire da un rapporto che è come una droga. Più ti fa male e più ne sei dipendente. E quando una figlia entra in questo tunnel, tu, mamma, che fai? Cerchi di starle vicino, di capire quando la situazione inizia a farsi troppo pericolosa o troppo dolorosa. Ma spesso non basta. Perché è un domino, complesso da fermare. Succede allora che di uno di questi uomini che odiano le donne, Alice resta incinta. Lui appena sa della gravidanza scompare, perché è facile prendere a pugni una donna, ma è meno facile prendersi la responsabilità di un figlio. Così la famiglia normale, comune, «come tutte le altre» si ritrova a gestire un nuovo nato. Per Rosy, che ha appena finito di badare ai figli suoi, questa nipote è una nuova sfida, un nuovo impegno. Da affrontare da sola. Perché Alice un giorno le chiede di tenere la bambina per un paio di giorni e, invece, si dilegua. Non si fa viva per settimane finché non arriva una sua telefonata da Bioglio, in provincia di Biella, dove si è trasferita con l'ultimo compagno.

Non giudico, l'ho detto subito che non è una storia semplice. Un figlio è una cosa enorme. E forse un figlio nato da un rapporto assurdo, violento, che si vuole dimenticare, è ancora più difficile da accettare.

Così i servizi sociali affidano la nipote ai nonni e Alice sceglie di rifarsi una vita con un altro uomo. «È quello giusto, mamma» giura. Ma non è così, lo sappiamo.

Anche lui è un uomo che pensa sia normale picchiare la propria compagna. Finché Rosy non ne può più, non ne può più di vedere sua figlia martoriata, di dover nascondere la madre a sua nipote. Non ne può più di vivere l'assurdo di una donna che si consegna al proprio aguzzino.

Il Covid è la goccia che fa traboccare il vaso. Il Covid con le sue restrizioni, il Covid che obbliga a stare in casa con chi ti vuole male. Perché adesso il mostro, il nemico non è solo lì accanto a lei, nel suo letto, no. Adesso è anche a un passo da lei, giustificato nella sua ossessione. «Non puoi uscire» le dice. «C'è il lockdown.» Un paradiso per il maschio violento. E allora l'angoscia sale, Rosy ha paura per sua figlia e non sa a chi rivolgersi. Con la pandemia gli uffici sono chiusi, gli assistenti sociali scompaiono e allora... allora Rosy pensa a me. A volte, e ne sono fiera, anche una trasmissione, un volto noto possono essere dei salvagenti. Forse Rosy sente che non mi accontenterò di una storia semplice.

«Buongiorno Myrta,
da ieri ho un nodo in gola e ho pensato di scrivere a lei per capire come sia possibile, in questo momento così drammatico, dare una risposta a una domanda che sinceramente una risposta non ce l'ha. Questa emergenza ha messo tutti in difficoltà ma ancora di più chi le difficoltà le vive ogni giorno fra le quattro mura di casa senza via di scampo. Proprio ieri pomeriggio ero al telefono con mia figlia (ventotto anni e

un passato di frequentazioni violente alle spalle – lavoro precario lei, disoccupato lui) che, dopo l'ennesima discussione con il suo attuale compagno (che nei giorni scorsi le ha rotto un dito in un momento di rabbia), dietro mio consiglio è uscita di casa con la scusa di comperare le sigarette, ed è stata fermata da una pattuglia dei carabinieri, mentre faceva ritorno a casa, dopo aver vagato senza meta per qualche chilometro in una zona che poco conosce (ha spostato il domicilio solo otto mesi fa in un paesino sperduto nella provincia biellese e non avendo la patente dipende in tutto e per tutto dal compagno). Capisco la necessità di sanzionare gli irresponsabili ma quando ti senti in pericolo l'unica cosa che ti rimane, se riesci a farlo, è uscire e così ha fatto Alice. Non ha mai denunciato e credo non lo farà mai per paura, per pudore, per vergogna, non so, ma prendere una multa per essere scappata dal proprio "carnefice" senza che chi è preposto per difenderci se ne renda conto mi sembra assurdo. Qualcuno deve fare qualcosa anche per queste giovani donne vittime due volte.»

Anche una multa, una incomprensione può far apparire il mostro che si nasconde dentro queste relazioni malate. Relazioni in cui per chiedere aiuto bisogna fingere di andare a comprare le sigarette, bisogna rifugiarsi fuori quando tutti sono chiusi in casa. In fondo è questa la cosa peggiore che è successa. Ci siamo dimenticati dei più deboli, dei più fragili. Concentrandoci giustamente su chi era attaccato a un ventilatore e con il virus in corpo, non abbiamo visto quanti stavano soffrendo senza avere il Covid. Non abbiamo capito quanto poteva essere una condanna il lockdown per chi aveva in un pacchetto di sigarette preso al tabacchino l'unica via di fuga. Come una campana a morto, la storia prosegue secondo un canovaccio già noto. E lo certifica la nuova mail di Rosy.

«Volevo ringraziarti per l'interessamento dimostrato e con l'occasione raccontarti il seguito della "storia" che ha avuto una evoluzione insperata ma prevedibile. Infatti martedì sera il "gentiluomo" compagno di mia figlia ha deciso di massacrarla di botte al termine di uno dei tanti litigi che arricchiscono la loro giornata. La ciliegina sulla torta è stata anche la chiamata dei carabinieri nella giornata di mercoledì che le fissavano un appuntamento per ritirare la notifica di multa causa violazione delle restrizioni per l'emergenza Covid pari a 280 euro. Naturalmente le ho consigliato di recarsi al comando senza trucco in modo che potessero vedere i segni delle percosse subite e così ha fatto. Non potendo andare da sola perché non automunita è stata accompagnata dal compagno che, dopo le violenze, è diventato amorevole e premuroso come non mai. Al comando di Bioglio non l'ha solo accompagnata con l'auto ma è anche entrato al colloquio in maniera tale che mia figlia non potesse in alcun modo fare allusioni al vero motivo che l'aveva spinta a uscire di casa. I due carabinieri presenti si sono limitati a prendere atto dell'opposizione e le hanno consegnato una sorta di verbale sorvolando sul fatto che avesse il volto e il collo tumefatti da percosse riconducibili a violenza domestica.»

È come un sillogismo, una dimostrazione geometrica. Ogni storia è unica a suo modo, ogni storia assomiglia a migliaia di altre. Le botte, i pugni e poi l'improvviso «amore». Un amore peloso che serve a ingabbiare ancora di più la propria vittima, a spingerla a tornare, a non denunciare. La remissività della tua compagna non è mai un'attenuante, ma un'aggravante. Bisogna dirlo forte e chiaro. Perché sì, è vero, lei è debole, ma tu, uomo, di questa debolezza ti stai approfittando, come il peggiore dei vigliacchi. Le ultime parole della lettera di Rosy mi risuonano dentro come una scossa. Sono domande che riguardano tutte noi, perché, l'ho detto, è un domino, quando il primo pezzo cade non sai mai dove finisce la catena. Può arrivare ovunque, anche molto, molto vicino a te.

«Ma cosa dobbiamo e possiamo fare per tutte queste giovani donne che non si rendono conto del pericolo che corrono ogni giorno e in questo periodo ancora di più?
Come possiamo difenderle da se stesse e da chi sta loro vicino spacciando la prevaricazione, la violenza psicologica e quella fisica per amore?
Cosa possiamo fare noi genitori con le mani legate?»

Già, perché è una battaglia impari che non si combatte solo contro il lui violento, ma anche, spesso, contro la vittima.

«Mia figlia mi racconta gli abusi ma non vuole che io faccia denuncia al posto suo e, il più delle volte, giura di tagliare i ponti con noi qualora decidessimo di fare di testa nostra. Noi ci sentiamo impotenti e, ogni qualvolta squilla il telefono durante la notte, abbiamo il terrore che siano le forze dell'ordine e che ce la riportino in un sacco di plastica nero.»

Posso solo immaginare l'angoscia, l'ansia di una madre, di un padre che vedono la figlia vivere con il proprio carnefice e non possono fare nulla: un senso di impotenza che rende amara la vita. È un pensiero che ti viene quando sei un genitore, quando tua figlia arriva in quel tempo della vita in cui inizia a costruire un rapporto con l'altro sesso. Succede. Sì che succede. Le ansie per le telefonate che non arrivano, per quell'amico che sembra un po' troppo invadente, per quelle gite lontano da casa. Tutto bene alla fine, ma capita. Ci stai dentro, lo accetti e quasi sempre scopri che stai esagerando, perché tua figlia ha la testa sulle spalle, perché il 99 per cento dei ragazzi sono bravi ragazzi che si vogliono bene davvero. Ma purtroppo non è sempre così. E basta un attimo, neanche te ne rendi conto e già sei entrata in quel domino che non riesci a fermare. Spesso quando ci si decide è ormai troppo tardi, si arriva davvero a quel sacco di plastica nero, a quell'immagine terribile che evoca Rosy. Ma i femmi-

213

nicidi, gli omicidi sono solo la punta di un iceberg. La parte sommersa sono le migliaia di donne che ogni giorno soffrono in silenzio. E così arriviamo all'ultima mail. Vorrei dire che non me l'aspettavo. E invece no. La fine era nota.

«Cara Myrta, ti scrivo solo per dirti che la scorsa settimana c'è stato un epilogo "drammatico" nella storia che conosci. Sabato 18 infatti, dopo tutto quello che è successo nelle settimane precedenti, verso le 20:20 ho ricevuto una chiamata da mia figlia che, probabilmente terrorizzata, ha avuto la prontezza di spirito di chiamarmi. Dall'altro capo non c'era lei ma sentivo distintamente una discussione fatta di urla, di botta e risposta. Sono rimasta in linea temendo il peggio e, non appena ho sentito le sue grida per le ennesime percosse ho interrotto la comunicazione e fatto quello che non mi aveva mai permesso di fare. Ho chiamato carabinieri e ambulanza e fatto denuncia per violenza domestica. Ne è uscita malconcia, con una prognosi di dieci giorni. Devo dire che i carabinieri di Bioglio sono intervenuti immediatamente e hanno attivato un codice rosso con tutto quello che ne consegue. Il maresciallo del comando è stato ed è ancora un interlocutore determinato, disponibile e soprattutto estremamente competente e, grazie anche alla segnalazione che i suoi sottoposti gli avevano fatto quel famoso giorno del ritiro della multa, non ha impiegato molto a inquadrare la situazione nonostante lei fosse reticente e lui avesse dichiarato una caduta accidentale di lei durante una passeggiata pomeridiana nel bosco vicino. Nei prossimi giorni dovrebbe liberarsi un posto in una casa protetta dove spero che Alice troverà tutto il supporto di cui ha bisogno. Il suo compagno, nel frattempo, ha ricevuto immediatamente un allontanamento forzato che è stato convalidato dal gip due giorni dopo. In tutto ciò devo dire che sono stata «fortunata» perché mia figlia, seppur distrutta psicologicamente, è ancora viva e spero saprà tirare fuori la forza necessaria per ritrovarsi. Sarà una scalata ardua ma soprattutto lunga, speriamo che tutto vada per il meglio e che questo MOSTRO (la sera in cui lei era in ospedale le ha scritto: "Amore mio non vedo l'ora di riabbracciarti e di tornare a casa con te. Mi manchi tanto") che ha trattato Alice come una proprietà da maltrattare e manipolare a suo piacimento abbia ciò che si merita.»

Mi piacerebbe pensare che, sì, la giustizia è destinata a trionfare e che pian piano tutto tornerà a posto. Ma non è una storia semplice, ve l'ho detto. Perché i processi di questo tipo sono sempre e comunque una via crucis per chi ha sofferto. Perché, quelle debolezze di cui sopra, gli avvocati difensori (dal loro punto di vista, giustamente) le usano per mettere in cattiva luce la donna: «Era ossessiva, era gelosa, era autolesionista». I genitori e i parenti di lui, poi, fanno quadrato, sfilano al processo urlando contro Alice. Anche la madre, che è una donna e dovrebbe, potrebbe capire. Ma come si fa ad accusare un figlio? Lo so, è un gesto estremo, la presa d'atto di avere sbagliato molto, se non tutto. Sono poche le mamme che hanno questo coraggio. Eppure quanto aiuterebbe se tutte le donne dicessero basta alla violenza, rompessero il muro omertoso che rende forti i vigliacchi e cominciassero a denunciare, a dismettere la solidarietà con questi maschi che usano violenza, fossero anche i loro figli, i loro mariti, i loro fratelli. Un mondo impossibile? Forse. C'è molto lavoro da fare, certo. Educare prima di tutto le vittime: come Alice che per troppo tempo ha voluto difendere il suo carnefice. «Non lo posso denunciare, in fondo è buono. Sono troppo innamorata. Vedrai che cambierà.» Queste sono le parole che diceva Alice alla madre. Sono frasi che ho sentito tante, troppe volte. Non c'è amore con le botte, con i pugni, con la violenza. Dovrebbe essere la prima regola insegnata a ogni bambina, a ogni donna. Perché senza rispetto non c'è amore. Punto. E questo è un concetto semplice.

Il processo è in corso e non sappiamo come finirà. Sarà la magistratura a decidere e noi tutti, come sempre, rispetteremo la sentenza. Nel frattempo, però, le vittime ci sono già. C'è una bambina che sta crescendo senza madre e con enormi problemi di crescita (ancora a quattro anni ha grosse difficoltà a parlare e porta ancora il pannolino). C'è una madre che, con tutte le sue colpe, a ventinove anni ha già una vita piena di cicatrici indelebili sulla pelle e nel cuore. C'è Rosy, mamma e nonna, che ha lottato per e contro sua figlia. Lottato contro una società dove la violenza sulle donne fa davvero fatica a scomparire. Anzi, con il lockdown forzato è diventata di nuovo una consuetudine, un qualcosa di cui parliamo distrattamente quando i giornali ci raccontano di qualche omicidio particolarmente efferato, dell'ennesima ragazza vittima di colui «che l'amava». Noi queste cronache le leggiamo, le commentiamo, ma in fondo non le comprendiamo.

Invece nelle storie bisogna entrarci, mettendosi in discussione, sentendole addosso. Quella che vi ho raccontato è una storia semplice e complessa insieme. È una storia di amore, ma non di un uomo verso una donna, né di una donna verso un uomo. È la storia dell'amore di una madre per sua figlia e per i suoi nipoti, il futuro che verrà. Perché l'amore non è quello delle telenovelas, non è quello dei film hollywoodiani. L'amore è qualcosa di più, qualcosa che non dice il suo nome, sopravvive nascosto, sottotraccia, non chiede, non pretende, non impone, non prevarica, l'amore invece dona, offre, rispetta, accetta, comprende e infine cura...

O almeno ci prova... Alice oggi dopo un lungo periodo in cui è stata seguita da uno psicologo e dai servizi sociali ha ripreso a vivere. C'è un nuovo compagno e soprattutto c'è un nuovo bimbo in arrivo. Sarebbe il finale ideale, l'happy ending pieno di speranza, pieno di futuro. Ma i finali felici sono per le storie semplici. Quando la paura entra nella tua vita fai una maledetta fatica a liberartene. Lo sento nella voce, lo leggo negli occhi di Rosy. «E se anche questo fidanzato non fosse diverso dagli altri? Se anche questo deciderà di esprimere il suo "amore" con gli schiaffi e i pugni? Cosa ne sarà del nuovo bambino (o bambina) che sta per nascere?»

Rosy ha paura, ha quattro figli e una nipote e non sa se riuscirebbe a reggere un nuovo affidamento, un nuovo processo, di nuovo le telefonate nel cuore della notte, il cellulare che non risponde. Perché il brutto è proprio quello, la paura ti mangia l'anima e anche un lieto evento può far nascere brutti pensieri.

Come se ne esce? Insieme. «Sortirne tutti insieme» diceva don Milani perché nessuno si salva da solo. Nessuna si salva senza una mano che la afferra, una mano di donna cui aggrapparsi, da sentire, da stringere. Una mano che non ti molla, che ti capisce e ti rassicura. Una mano che ti accarezza e ti fa dimenticare gli schiaffi... Sortirne tutte insieme prendendosi per mano. Con quella sorellanza che troppo spesso dimentichiamo. Proviamo a costruire una rete di salvataggio, ripetiamo a tutte, soprattutto le più giovani, che uno schiaffo o un pugno non sono mai amore. Perché l'amore è un'altra cosa. Perché non abbiamo bisogno di uomini violenti, perché abbiamo bisogno di bambini felici e di mamme senza paura.

Le promesse tradite

Laura

«Non può piovere per sempre» recita la frase di un film diventato «cult». A un certo punto, il sole deve tornare a splendere. Succede ogni volta. Basta saper aspettare. Insomma, quando pensiamo che sia finita è proprio allora che la vita ci sorprende.

Me lo diceva la nonna: «Myrta, se vuoi l'arcobaleno devi sopportare la pioggia».

E io ci ho sempre creduto. Ma a volte non è così. Sembra quasi che il destino si accanisca, che ci prenda di mira.

Provate per esempio a ritornare alle 3.32 di quel maledetto 6 aprile 2009 quando la terra tremò all'Aquila spazzando via di colpo la vita di 309 persone e distruggendo un patrimonio inestimabile di cultura e di arte. Ma soprattutto cambiando per sempre il destino di una intera comunità. Io ero a Roma, a letto, a casa, con i figli nella stanza accanto. Mi svegliai di soprassalto. Qualche oggetto era cascato improvvisamente. C'era una strana elettricità nell'aria. Cercai di capire. Mi affacciai al balcone. La città era muta e deserta. Poi arrivarono i messaggi. Accesi la tv. Chiamai i colleghi per decidere il da farsi. Lo ricordo bene. Tutti capimmo al volo che eravamo di fronte a uno di quei momenti destinati a rimanere tra i nostri ricordi più bui. Non pensavamo però allora che a distanza di dodici anni ci saremmo ritrovati a fare i conti non solo con un lutto incancellabile, ma anche con i materialissimi problemi di un infinito «dopo terremoto». Si sono succeduti i governi e le macerie dell'Aquila sono sempre lì, tanta gente non è mai più riuscita a tornare a casa e, soprattutto, un intero pezzo d'Italia sta ancora disperatamente cercando la forza per ripartire. E poi con qualche rara eccezione anche sull'Aquila ferita a morte è calato il sipario.

E quando qualcosa finalmente sembrava muoversi è arrivata la mazzata del Covid.

Detta così, sono parole, è storia, è cronaca.

Ma mettetevi nei panni di chi era lì, e c'è ancora. Cambiare il punto di vista vuol dire cambiare la narrazione.

Cosa vuol dire non riuscire a rialzarsi?

Ecco, appunto, torniamo al punto di partenza. Non può piovere per sempre. Ma per la gente d'Abruzzo dopo la pioggia c'è stato davvero il sole?

Fra le tante mail che hanno ingolfato per mesi la casella di posta *dilloamyrta* una mi ha letteralmente bucato il cuore. Me l'ha scritta Laura. E comincia così:

«Forse anche tu, nella tua vita, Myrta, hai provato almeno una volta uno stato d'animo molto preciso. Alcuni lo chiamano karma, destino, fato. Non so. È quando senti di aver dato tutto, di aver utilizzato ogni singola goccia di energia del tuo corpo e della tua mente per un obiettivo, uno scopo, magari per ricostruire la tua vita, per ritrovare tra le macerie un bandolo per andare avanti, e poi – raggiunto o meno lo scopo – senti proprio che non ne hai più. Sei svuotata, sei senza fiato, e pensi – anzi, ti convinci – che quella particolare energia non tornerà mai più. Magari nella vita farai mille altre cose, ma per quello specifico obiettivo hai dato tutto quello che avevi. E se invece bisogna ricominciare a lottare... Di nuovo, ancora una volta. Chi te la dà la forza?».

Sì, Laura, a me è successo. So esattamente di cosa parli. Mi è venuta quasi voglia di urlare. È successo dopo un anno di battaglia forsennata per salvare la vita di mia madre.

È successo che ce l'ho messa tutta. Che ho fatto i salti mortali. Che ho combattuto con le unghie e con i denti. Che ho sperato anche quando mi dicevano che era inutile. Che ho tentato anche quando sapevo che era impossibile. Che le ho fatto coraggio anche quando il coraggio mi aveva abbandonato. Che le ho sorriso anche quando volevo piangere.

Che non ho dormito e non mi sono mai sentita stanca. Che ho lottato contro un mostro che voleva divorarla, ma anche contro medici distratti, contro diagnosi frettolose, contro sacche di sangue che non si trovavano e ambulanze che non arrivavano. E non mi sono arresa mai. Sono caduta, ho pianto, mi sono asciugata le lacrime e mi sono rialzata. Ma poi, alla fine, mi sono dovuta arrendere alla terribile intransigenza della morte. E allora, svuotata di tutto, l'ho sentito. Quella particolare energia, come la chiami tu, quella non tornerà mai più.

E anch'io mi sono chiesta con angoscia: e adesso? Se mi dovesse ricapitare? Se dovessi di nuovo andare in battaglia come farei?

Ho continuato a leggere avidamente la lettera di Laura, la lettera che mi aveva svelato un pezzo di me stessa e ho voluto capire.

Laura con il marito Gabriele è artigiana orafa all'Aquila. Un mestiere bellissimo. Plasmare le pietre, sentirle vive, renderle un oggetto prezioso per la mano di una donna, per il suo collo, il suo polso. Questo fa Laura. Un bel negozio in centro, vicino al Duomo, ricorda con la voce che le trema. Poi il terremoto, una intera esistenza che crolla con le case, coi palazzi, con le vite umane spezzate. Laura e la sua famiglia, vivi per miracolo, escono di casa, spaventati, senza capire bene cosa stia succedendo, la notte all'addiaccio, con la paura che scandisce le ore e i minuti. «Il giorno dopo dalla disperazione ci siamo ritrovati a scavare a mani nude, come automi, in ciò che restava del negozio per cercare di recuperare la cassaforte, i pochi risparmi di una vita...» E così dopo quelle notti drammatiche, si ricomincia. A denti stretti a cercarsi un futuro nuovo, a dire che può succedere, che c'è tempo per recuperare. I debiti, quelli bisogna farli, si accumulano come le macerie della città abbandonata. Però si accumula anche la speranza, la voglia di farcela.

«Io e mio marito da sempre lavoriamo insieme, questa è la nostra vita: ci siamo rimboccati le maniche per rimetterci in piedi al più presto, nostro figlio aveva tre anni, non potevamo stare fermi. C'era da garantirgli un futuro. Ci siamo comprati dei nuovi macchinari, moderni, e abbiamo riaperto nella galleria commerciale dove siamo adesso, in una frazione dell'Aquila, perché il centro storico di fatto non esisteva più.»

All'inizio le gambe un po' tremavano, il lavoro sembrava non ripartire. Però, Laura ci sa fare, conosce il mestiere, le pietre preziose. E piano piano la clientela arriva, trova nel suo negozio un angolo sicuro per quei regali speciali che fanno tanto bene al cuore di chi li riceve. Però è sempre una battaglia quella che si vince, la guerra non finisce mai. Una vera rinascita, un mettersi tutto alle spalle, quello no, non arriva.

L'Abruzzo, a sentire governo e politici, sarebbe ripartito in pochi anni, forse pochi mesi.

«Ci siamo rimessi in piedi, però l'economia non è mai davvero ripartita in questi dodici anni. Abbiamo guadagnato quanto necessario per stare al passo con le spese. Ma per tutti i commercianti di qui è stata dura: la città era in ginocchio, chi ha perso la casa, chi il negozio. Una ripresa lunga e difficile.»

Una rinascita lentissima, fatta di lavoro duro e poche chiacchiere. Poi... la seconda mazzata, quando sembrava che le cose potessero mettersi a posto.

«È arrivato il virus. Abbiamo chiuso come tutti gli altri quando l'ha deciso il governo. In questi mesi è stato difficile, perché abbiamo continuato a pagare l'affitto e altre spese senza poter lavorare. Ci siamo organizzati con tutti i protocolli di sicurezza. Ma il problema è un altro, come ho detto. Non c'è più domanda.»

Eh sì, perché alla fine, gioiellieri e orafi dalla notte dei tempi sono la cartina di tornasole di una comunità. Se i soldi non ci sono si pensa ai bisogni basici, i gioielli li si comprerà più tardi.

«Spesso i nostri clienti non hanno i soldi necessari nemmeno per riprendere quello che ci avevano ordinato. Semplicemente non vengono più, scompaiono. Noi però andiamo avanti, questo è il nostro lavoro e vogliamo continuare a farlo finché sarà possibile. Sostanzialmente, non abbiamo alternative.»

Ma come si riesce a non affondare?

«Con mille difficoltà. I proprietari delle mura, per esempio, non sentono ragioni, non possiamo neanche rinegoziare la rata. Questo perché paradossalmente se noi fallissimo nei pagamenti per loro sarebbe meglio, potrebbero rivenderselo, avendo incassato già le rate che abbiamo pagato. Anche loro avranno i loro problemi, facendo i costruttori, ma certo non c'è solidarietà e neanche tutela da parte della legge.»

Non sono i soli ad avere avuto questi problemi in Italia. La pandemia ha travolto tutto e ha creato un vero e proprio «esercito» di persone e attività a rischio sfratto. C'è chi non ha più uno stipendio e si trova senza più un lavoro, ma c'è anche chi semplicemente ha visto ridimensionarsi il proprio volume d'affari. Come Laura e suo marito. L'affitto da pagare, però, è rimasto lo stesso, le rate continuano a sommarsi e la riduzione della pigione è rimessa al buon cuore dei proprietari che, ovviamente, tengono anche loro «famiglia». E così il timore è che fra qualche mese, quando il blocco delle scadenze fiscali salterà in molti si ritroveranno con enormi arretrati da pagare o con la prospettiva poco allettante di finire in mezzo alla strada. Sta su un filo Laura, un filo sottile, come una corda tesa che basta un movimento e vai giù.

«Non sto bene, non la vivo bene. A volte vorrei mollare tutto, semplicemente arrendermi, ma ho un figlio e non posso e non voglio farmi vedere depressa.»

È dura, però, nascondere un peso così grande a chi ti sta vicino.

«Certo, lui si accorge che siamo preoccupati. Io e mio marito lavoriamo insieme, le entrate dell'intera famiglia dipendono dal laboratorio. Per fortuna abbiamo una casa di proprietà. Da noi vive anche mia madre, perché il terremoto ha distrutto la sua casa. Mi dà una mano, nei limiti del fatto che ha ottantadue anni. Per fortuna che sta bene. Mio figlio è molto legato a lei, ma è una goccia nel mare. Lo sai, Myrta, che oggi molti giovani aquilani vanno dallo psicologo per disperazione? Questa non è più vita. Considerate che qui c'è un'intera generazione che ha fatto scuola nei prefabbricati prima e con la Dad poi. Anche mio figlio. Mi chiedo: loro che ricorderanno dell'Aquila? Si ricorderanno delle macerie. Anzi no. Delle macerie svuotate dal lockdown.»

Parole che mi cadono addosso come macigni. Penso a chi ha tradito questa gente, penso alle promesse, alle processioni del potere, a chi li ha usati per fini politici, a chi non li ha rispettati. Penso a questa donna che resiste, ma che ogni giorno si chiede se ne valga la pena. Perché no, non siamo tutti uguali neanche di fronte alle catastrofi. C'è chi ha più risorse, più possibilità, un ombrello, e c'è chi si trova, senza volerlo, nudo sotto la pioggia che batte. In una zona rossa infinita, tragedia dopo tragedia.

«Per noi la zona rossa dura da undici anni. L'abbiamo inventata noi qui in Abruzzo. Poco prima del lockdown sognavamo di tornare in centro, oggi mi dico per fortuna che non l'abbiamo fatto, sennò davvero fallivamo. Avevamo una voglia matta di ricominciare. Te lo assicuro, Myrta. Oggi è come se avessimo una Ferrari. Ma è ferma nel garage!»

Una Ferrari nel garage. È una metafora che mi piace. E a leggere i dati di quest'anno dell'ufficio studi di Confindustria sembra proprio così. L'economia italiana non è malata, ma è «compressa». Deve essere liberata per correre. La voglia di ripartenza c'è e si sente. Ma come fa un Paese a ripartire se non sulle gambe delle persone?

Se non sulle gambe di Laura che è caduta e si è rialzata, che ha lavorato giorno e notte per rimettere in piedi il suo laboratorio e che ora aspetta un segno che sembra non arrivare. Aspetta il suo personale arcobaleno dopo una pioggia che è durata troppo a lungo. E la domanda torna ancora come un'ossessione, la stessa che mi facevo io quando passavo senza posa da un ospedale all'altro, fra ambulanze, flebo, analisi. Come fare quando ti sembra che sia arrivata quella goccia, quella goccia di troppo?

«Quando penso di smettere, di mollare tutto, penso a due cose: la prima è che questa è l'unica cosa che so e che voglio fare nella vita. Non voglio aiuti, voglio la serenità per andare avanti con le nostre forze. La seconda è il futuro. Mio figlio che sta crescendo e più in generale le giovani generazioni che hanno bisogno ancora di noi. Mi piacerebbe anche insegnare e trasmettere il mio lavoro ad altri, a mio figlio se vorrà o ad altri ragazzi. La paura però è che nessuno voglia farsi carico di un'attività come la mia, così incerta. Tanti sogni se ne vanno, perché non puoi realizzarli. E cosa ci rimane?»

Eppure, all'improvviso Laura mi sorride quando la incontro, quasi senza accorgersene. Dev'essere così che si ricomincia a sperare.

Ci credo. Ci voglio credere fermamente.

Il racconto di Laura è pieno di nubi, scure e minacciose, ma è anche rischiarato da sprazzi di luce. Speriamo smetta di piovere.

Vi ho detto che la lettera di Laura mi ha bucato il cuore ma devo dirvi che ha trovato anche il modo di ripararmelo.

Dopo tanti pensieri Laura ha voluto lasciarmi un oggetto: una collana con un ciondolo. L'ha fatta con le sue mani e l'ha chiamata «il giglio della speranza». Un piccolo capolavoro dell'artigianato italiano. Da allora la tengo sempre qui sul mio petto per ricordarmi che il vero lieto fine è non smettere mai di ricominciare.

Ritornare a nascere

Guendalina

«Mia figlia Alma è nata il 20 marzo del 2020, in circostanze che nessuno avrebbe potuto immaginare. Sicuramente partorire al tempo di una pandemia significa fermarsi a pensare la maternità e la vita in maniera diversa, sommare all'incertezza del dare la vita e prendersi cura di un neonato quella di non sapere come sarà la vita di tutti noi dopo l'emergenza.

Per nove lunghi mesi, e forse anche di più, con suo padre, i suoi nonni e gli amici abbiamo immaginato la nascita di Alma pieni di emozioni e di aspettative.

Ma Alma non li ha ancora conosciuti i suoi nonni, né gli zii, né gli amici più cari. Non ha ricevuto ancora nessuna visita, nessun regalo, non è ancora neanche stata visitata dalla sua pediatra.»

L'assenza è dolore. L'assenza è nostalgia, è un frammento di vita che hai amato e che continui a desiderare. Il racconto di Guendalina è la storia dell'assenza di ciò che lei non aveva ancora vissuto, ma aveva già imparato ad amare nel suo cuore e nella sua mente. L'attesa di Alma non era stretta soltanto su di lei, che è il centro di tutto, la grande protagonista della scena. Già prima che vedesse la luce i genitori le avevano costruito intorno il mondo che l'avrebbe accolta, e che l'avrebbe circondata, ma quel mondo si è dissolto, il virus ha costretto Guendalina ad accartocciarlo e metterlo da parte. Nonni, zii, amici, l'intero universo che lei ha immaginato, e ha assaporato molto prima che fosse riunito attorno alla sua bambina. Quell'universo non s'è fatto trovare. È dura riorganizzare i sogni, avverti tutto quel che accade come un'ustione, d'improvviso il domani ti sta tradendo, e sta tradendo i piccoli diritti di chi è appena venuto al mondo. Alma non sa dei nonni, degli zii, degli amici, ma esisterà anche per loro, nell'istante in cui Guendalina l'ha avuta tra le braccia, e forse anche molto prima, Alma sta già componendo la sua socialità. Avrebbe dovuto conoscere, capire cos'è una famiglia, la sua famiglia e gli amici. Dovrà aspettare, invece, dovrà farsi largo molto più lentamente in questo strano mondo in cui ci si evita per legge e per necessità, per responsabilità e per salvarsi la vita.

Il disagio di Guendalina è lo stesso di tantissime mamme in Italia, all'incirca 400mila da marzo 2020 a marzo 2021. Sono pochi i figli nati in questo anno di pestilenza e attesa, ma a quelli nati è toccato questo prologo.

Senza l'alfabeto sentimentale che accompagna la venuta al mondo, senza quel lessico intimo da tramandare: smottamenti privati che lasciano aperto il cratere della memoria collettiva.

Il domani è il palcoscenico sul quale proiettiamo le nostre vite. E una giovane mamma proietta continuamente il destino della vita che sta nascendo, vede i suoi primi giorni, i suoi primi mesi, molto prima che arrivino, vede gli occhi di coloro che le staranno accanto, vede la felicità dei nonni e degli amici al cospetto di quel corpicino. Ed è una felicità che vuole, della quale si sente un po' autrice, quella felicità è l'ingrediente più affascinante del domani che verrà.

Nessuna partorisce da sola: ce lo insegnano anni di storie raccontate per via orale, passate di madri in figlia, di donna in nipote. Il parto è un atto familiare.

«Sfortunatamente nessuna videochiamata potrà colmare quello spazio doloroso che separa una nonna da una nipote appena nata. Nessuna foto, né alcun messaggio possono sostituire l'abbraccio di donne sorelle che creano comunità, famiglia e cura.»

Quante confidenze ho ospitato in diretta tv, quante lettere di ricongiungimento ho ricevuto, quanti ricordi delle vite degli altri ho trattenuto.

Forse qualcuno conosce le madeleine, quei buonissimi dolcetti francesi a forma di conchiglia. Per gli amanti della letteratura francese, e non solo, sono famosi perché Marcel Proust a un certo punto di *Alla ricerca del tempo perduto* (il suo romanzo capolavoro) ne sente l'odore e inizia a ricordare. Seguono sette voluminosi tomi di memorie! Mio padre, francesista, e adoratore di Proust, me li mise in mano quando ero ancora ragazza e da allora sono una delle bussole della mia vita. Eppure, quelle splendide pagine nascono tutte dall'odore di un biscotto spugnoso. Ecco, io vorrei che tenessimo memoria di quello che è successo. I ricordi sono importanti. Perché non sono mai singoli. Non sono immagini isolate nella nostra testa. No, sono percorsi, riflessioni, affetti. Uno tira l'altro come le ciliegie.

La pandemia ha avuto mille risvolti, ha procurato disagi che messi al cospetto del bollettino quotidiano dei deceduti sembra un'inezia, un effetto collaterale di trascurabile importanza. Ma le donne, gli uomini, vivono delle proprie emozioni, vivono delle proprie aspettative e dei propri sogni. Il senso dell'esistenza di ciascuno di noi è scandito su quella quota di sensibilità che affidiamo al destino. La distanza forzata dalle famiglie è un trauma che tantissimi vivono con difficoltà enorme. E nei casi in cui questa distanza la scontano anche figli minori, la sofferenza si fa ancora più acuta. Fermiamoci per un attimo sulla bellezza del rapporto con i nonni. È una ferita terribile che il Covid ha inferto a questa generazione. Se ne è parlato tanto, nei mesi scorsi: l'isolamento necessario delle generazioni più anziane ha sgretolato le relazioni dirette di tante famiglie. E naturalmente ne è uscito a pezzi anche il ruolo dei nonni baby-sitter. Ma è chiaro che la prima vittima sono stati proprio lo scambio di affetti, la conoscenza tra generazioni lontane, tra bambini e anziani, tra mondi diversi che finiscono per rappresentare poi uno dei ricordi più solidi che accompagnano la nostra esistenza.

La storia di Guendalina ha però una luce propria, per questo conserva un posto speciale nel mio racconto della realtà: è la vita che esce a testa alta, che si attesta, quasi svetta.

Chiama in causa l'essere figlia e poi madre, pur rimanendo figlia. La forza viscerale di chi dall'utero partorisce e con l'utero rinasce.

Il miracolo atavico, la meraviglia che si rinnova.

Ci riporta con il cuore dentro le corsie affollate, silenziate dalle parole di felicità, coperte dal velo anonimo della morte asettica, per dirci che dietro il terribile conteggio di chi se ne va senza un addio, c'è un fiocco rosa di chi arriva pur senza la festa.

Già, la festa.

Il Covid, infinitesimale particella che si avviluppa al corpo e ne diventa nemico, ci ha privato di quella ritualità essenziale al nostro essere donne e uomini.

Abbiamo imparato a fare i conti coi volti bardati dai quali neppure le rughe del riso e del pianto trapelano; a rinunciare al sapore dolce delle carezze; a sviluppare una tenerezza digitale e a portata di clic.

Abbiamo fatto i conti con la vivisezione delle nostre certezze, quei valori fondanti ereditati da millenni di generazioni passate, come la sepoltura dignitosa.

In un pomeriggio di quiete, ho rivisto quel gran capolavoro delle *Invasioni barbariche*. Non riuscirei neanche a dire se è un film sulla vita o sulla morte, diviso com'è tra celebrare la prima e dissacrarla, e il meraviglioso pre-rito funerario che tesse l'intera trama.

Una babele così ben architettata di citazioni letterarie e filosofiche ci dice quale infinito prodigio possa essere l'addio condiviso.

E ci racconta come la strada verso l'accettazione della morte passi attraverso storie, volti, persone, parole, gesti, nel film tutto innervato dall'autoironia, l'esatto opposto dell'asettica e inaccettabile morte solitaria accompagnata, quando la sorte fornisce l'infermiere con le ali al cuore, da una videochiamata.

Guendalina sa di aver dato alla luce sua figlia, mentre intorno si sentiva l'eco della trincea, coi cadaveri senza nome e senza famiglia.

Lo ha fatto per sé e per il grande amore di madre, ma lo ha fatto, senza volerlo e forse senza saperlo, per tutti noi.

La sua forza simbolica, evocativa, paradigmatica ci spinge a portare la riflessione individuale verso i confini dell'esperienza collettiva.

Come la morte, così la vita.

Raccontarle è un dovere morale.

Inno alla vita
Fabiana

Qual è il mestiere più bello del mondo? Vorrei dire: «Il mio!». Un po' è vero. Io adoro il mio lavoro, nonostante lo stress, le pressioni, le arrabbiature, l'adrenalina quotidiana che poi evapora in stanchezza. Nonostante la lunga gavetta, i salari da fame dei primi tempi, i colleghi e i direttori (quasi sempre maschi) con i quali combattere ad armi impari. Fare la giornalista è una passione che si alimenta di curiosità, della voglia matta di capire prima ancora che di spiegare, della capacità di non fermarsi alla superficie delle cose. Per essere un buon giornalista bisogna nutrirsi di libertà senza guardare in faccia nessuno.

Il mio è un mestiere strano e immortale, un mestiere che ti abita e non ti lascia mai, neanche quando sei senza lavoro, che ti emoziona come il primo giorno ogni volta che quello che fai può cambiare la vita a qualcuno e restituire un po' di giustizia a un mondo che spesso ne è privo. È una passionaccia maledetta e infrangibile, e non ci sono soldi, status, sicurezza, gradi o potere che potranno mai essere barattati con quella sensazione meravigliosa e inebriante che è sentirsi sempre al centro di quello che accade. Entrare, sempre e comunque, a mani nude in un evento completamente diverso da qualsiasi cosa sia accaduta prima.

Sapendo di avere come arma solo le tue parole, la tua capacità di scegliere quelle giuste, e che dietro di te c'è solo e sempre la tua coscienza.

Insomma, non farei cambio con nessun altro lavoro. Questo ho sempre pensato.

Ma poi un dubbio mi ha sfiorata.

Forse c'è un mestiere, una professione che è davvero la più bella del mondo. Fare nascere i bambini. Metterli al mondo senza esserne la madre, dando amore ai figli degli altri. Si può immaginare qualcosa di più naturalmente felice? Aiutare una mamma a partorire, un bimbo a imprimere la sua impronta di vita. Non una volta, ma tutti i giorni. Sentirsi un po' mamma di centinaia di bambini, un po' Wonder woman in camice. Chi fa questo lavoro tecnicamente si chiama ostetrica. Ma ha avuto nei secoli mille nomi. È qualcosa di antichissimo eppure sempre moderno, attuale, proiettato nel futuro. La scienza potrà, lo spero, fare passi da gigante, inventare robot chirurghi sempre più intelligenti per le operazioni più difficili, curare con laser, sonde, vaccini migliaia di malattie, stampare organi in 3d, ma quelle mani pronte e delicate che per la prima volta avvolgono con infinita dolcezza il corpo di un nuovo nato per aiutarlo a uscire dal ventre

materno, quelle no, non potranno mai essere sostitui-
te. L'ostetrica accompagna la vita che viene dalla notte dei tempi. Socrate, che era figlio di una levatrice ate-
niese, diceva che tutti noi dovremmo essere un po'
così. Comportarci come le levatrici, dando vita se non
a nuovi esseri umani, a nuovi e migliori pensieri, aiutandoci a «partorire» il meglio di noi.

Dai tempi di Socrate sono passati più di duemila
e cinquecento anni, e le ostetriche sono sempre lì.
Hanno cambiato nome e nel frattempo, per fortuna,
la scienza medica ha fatto progressi incredibili, la
mortalità per parto è scesa a livelli minimi. Le donne (e gli uomini) che aiutano le partorienti sono oggi medici specializzati con competenze di altissimo
livello. Le donne hanno guadagnato, sulla loro pelle, e con il lor sangue, nuove garanzie e sempre maggiore assistenza. Da fatto domestico a esperienza di
cura. Ma le emozioni sono sempre le stesse. Quelle
che da sempre accompagnano questo momento unico, in un crescendo rossiniano di paure, forza, speranza, tripudio. Dal dolore acuto, perfetto, della madre, alle braccia in aria, livide ma vincenti, del nuovo
nato. E così, secondo me, queste persone sono un po'
speciali. Più speciali di tutti.

Lo penso mentre, a marzo del 2020, leggo un messaggio che mi manda Fabiana, ostetrica di Milano, attraverso la nostra chat. C'è tutto, ma soprattutto c'è la
tenacia.

«Voglio condividere la mia giornata di oggi in sala parto, ma prima voglio aprire una parentesi.

Questa drammatica e tragica situazione che tutti quanti stiamo vivendo, ci fa provare ansia, angoscia, a volte malessere a dover rimanere rinchiusi a casa... per me e tutti i miei colleghi ostetrici, medici, operatori sanitari di qualsiasi genere è ancora più difficile... dobbiamo, giustamente, continuare a lavorare, abbiamo la costante paura di questo maledetto virus, sentiamo l'esigenza di donare un sorriso e di strapparlo alle nostre pazienti.

Personalmente, avendo avuto la possibilità, ho preso la dolorosa decisione di allontanare i miei quattro figli lasciandoli dai loro papà... semplicemente per evitare un ipotetico contagio, nonostante stia molto attenta utilizzando i dispositivi necessari...

In una situazione normale, la donna vive insieme a suo marito e ai suoi familiari il momento più bello della sua vita: la nascita del suo bimbo!!! Per colpa del coronavirus questo non è consentito... le donne non hanno i loro cari vicini fisicamente. Ecco, oggi, la dolce e giovane Sara e il cucciolo Mattia mi hanno regalato la possibilità di vivere un'emozione surreale, meravigliosa... è stato decisamente il giorno più bello della mia vita da ostetrica. C'ero io per lei, mi ha fatto entrare nella sua intimità facendo videochiamate con la sua famiglia, parlavo con la sua mamma e cercavo di rassicurarla che sarebbe andato tutto bene e che mi stavo prendendo cura di lei. Abbiamo fatto dei video quando è nato Mattia, foto, videochiamate...

anche se lontani fisicamente, la famiglia di Sara era con lei, era dentro il nostro box... tutti eravamo emozionati per la nascita di quella piccola meraviglia!!!»

Fabiana è un fiume senza argini, è gioia e tormento, è immediata reazione alla forza della vita. Fabiana conosce quanto importante sia il rito familiare, nel momento del parto. Quella parola così importante che il Covid ha spazzato via: «condivisione».

«Alla fine del turno, per strada mi ha aspettato la mamma di Sara... mantenendo il metro di distanza mi ha trasmesso tutta la sua gratitudine e anche se non abbiamo potuto abbracciarci, con il cuore, la gioia e con le reciproche lacrime abbiamo condiviso un momento unico e speciale.
La mia missione in questo periodo drammatico è rendere unico e speciale il momento della nascita dei bimbi di queste meravigliose e forti donne che si sentono sole e impaurite non potendo avere accanto la loro famiglia!!!»

Come è stato bello iniziare una giornata così! In piena pandemia, mentre tutto intorno a me parlava di malattia e di morte, ho sentito la storia di Sara e Mattia, una mamma e il suo piccolo appena dato alla luce. Una storia insieme nuova e antichissima che si ripete, grazie a Dio, senza che niente e nessuno possa fermarla. Un toccasana per il cuore, una emozione anche a distanza. La più bella giornata di una donna che fa il lavoro più bello.

L'ho voluta conoscere, Fabiana. Coi suoi grandi occhi, i suoi capelli castani in bell'ordine e la mascherina d'ordinanza. Perché mai abbassare la guardia. Eppure la stanza dell'ospedale da cui ci parla è vuota: nessuno sembra disturbarla. «Allora, per favore, non è che puoi togliere la mascherina, Fabiana?» le chiedo con un po' d'ansia, con la paura dell'azzardo, «perché ti sento meglio» aggiungo come giustificazione. La mascherina, questo muro salvifico che abbiamo imparato a usare per necessità, è diventata giustamente un totem, specie per chi lavora nella sanità. Ma quando si è soli, a distanza, è giusto e bello tornare a guardarci in faccia. Fabiana lo sa. Toglie la sua mascherina con dolcezza. Un semplice gesto, che fa da esperta. Poi, sorride. Ha un volto dolcissimo. Non sta guardando solo me attraverso lo schermo. Lo capisco subito. Fabiana ha quattro figli, tutti suoi, che finalmente possono rivederla grazie alla televisione.

«Non li vedo da otto giorni, preferisco saperli lontani da ogni possibile contagio. È meglio così, per ora. Ma noi ostetriche abbiamo una grande fortuna. Vediamo la gioia nei volti delle donne che ogni giorno qui diventano mamme. Questo è un momento speciale e doloroso, però. Come ho scritto nella lettera, nessuno può stare con loro durante il parto. Neanche i papà, neanche i nonni. E quindi il nostro compito raddoppia. Non dobbiamo aiutare le neomamme solo nella pratica, ma anche psicologicamente. Si aggrappano a noi. Si aggrappano ai nostri occhi, che è l'unica cosa che riescono a vedere del volto.»

Mi colpisce questo legame particolare, dovuto alla necessità, fra gli occhi di due donne. Il medico che presta aiuto, la donna che lo cerca. Tutto un mondo caricato in uno sguardo. Uno sguardo che prima poteva passare da un viso all'altro, il compagno, la madre, il padre, chiunque fosse chiamato ad assistere, ora resta inchiodato sul volto coperto a metà dell'ostetrica. È tutto quello che hanno in quegli attimi cruciali. Da madre posso intuire quanta ansia possa gravare sulla pancia di chi partorisce dentro una parentesi della storia. «Sono assettate di sicurezza» mi dice Fabiana. Ed è una espressione bellissima. «Assetate.» Ne hanno il bisogno epidermico, sentono la mano amica che le trafigge e le salva. Perché, se è vero che nessuno si salva da solo, è ancora più vero che nessuno nasce da solo.

Le immagini registrate che Fabiana condivide con noi in trasmissione ci mostrano i primi vagiti del piccolo Mattia, appena uscito dalla pancia della mamma. Sono immagini bellissime perché è sempre emozionante vedere la vita che si rinnova, che si fa spazio nonostante tutto.

«Voglio mandare un messaggio a tutte le mamme che stanno per partorire. So che è un momento difficile perché vi sentite sole. Ma non abbiate paura» ci dice a distanza con degli occhi che davvero riempiono il cuore e l'anima di dolcezza. «Noi ci siamo. E il nostro obiettivo è questo: rendere speciale, comunque, questo giorno anche in un momento drammatico.»

In tanti anni di giornalismo, ne ho viste e sentite troppe. Ma raramente ho provato una così profonda gioia come dopo il collegamento con Fabiana. Raramente mi sono sentita tanto sollevata quando tutto attorno sembra buio e minaccioso. È stata una sensazione comune, giravo lo sguardo e notavo che tutti in studio erano commossi. La mia voce spezzata dall'emozione, gli occhi inumiditi, la leggerezza di essere parte di un prodigio che appartiene all'origine della vita. C'è un film di Giorgio Diritti che è un piccolo capolavoro, si chiama *L'uomo che verrà*. Racconta il terribile eccidio nazista di Marzabotto. Una storia tragica e cupa. Che si conclude, però, con il volto di un bimbo piccolissimo cui la sorellina canta la ninna nanna. Come a dire che anche quando tutto sembra perduto, il vagito di un neonato riesce sempre a regalarci una speranza.

Oggi, Mattia ha un anno e mezzo e vive felice con la sua famiglia. Fabiana continua a fare il «mestiere più bello del mondo», si è vaccinata e piano piano vede che le cose anche in ostetricia stanno tornando alla normalità. Speriamo per sempre. Sicuramente per sempre resterà quel momento di luce in un mare di tenebre che ci ha rischiarati nella fase peggiore della pandemia. Una donna lo sa. Io lo so. Quando nasce un figlio, non sempre nasce una madre. Ma quel tripudio è la risposta alla bruttezza, alla morte, alla dimenticanza. E sapere che esistono custodi indomite di quella felicità, come Fabiana, mi dà freschezza al cuore. E il cuore non dimentica.

Conclusione

Se siete arrivati fino a qui, cari lettori, è forse perché avete condiviso i sentimenti e le emozioni che mi hanno guidato nel racconto delle storie di donne, diverse e fortissime, che ho conosciuto nei mesi della tempesta lasciandomi vivere dalle loro vite condotte in porto dopo la burrasca.

E io, che le ho sentite sulla pelle, che le ho inseguite con le parole per sentirne il peso e la forza, ho a mia volta condiviso l'intensità di questo racconto con la donna che mi è più vicina: mia figlia.

Caterina ha la leggerezza dei vent'anni e la spavalderia entusiasta e orgogliosa di chi sa di avere il tempo e il mondo dalla sua parte. Le piace ricordare, tenere insieme il filo delle cose, volare lontano e poi tornare a casa.

Per tutti gli anni della sua infanzia, i nonni sono stati il suo ancoraggio.

I nonni. Quei testimoni del nostro passato che diven-

243

tano spesso garanzia del presente, e non solo dal punto di vista economico, che pure conta eccome, ma come costruttori di piccole certezze, riti rassicuranti, sapori e gesti di tutti i giorni che compongono la nostra vita.

Ma i nonni sono per noi anche eredi del futuro, testimoni di ciò che saremo, di ciò che sapremo diventare.

Quei nonni balzati agli occhi famelici della cronaca, durante i mesi di clausura pandemica: i più colpiti, i più fragili, i sacrificabili, infine i reduci.

Migliaia di altre Caterine sparse per l'Italia li hanno perduti, senza cerimonie di addio.

Ma c'è qualcosa di più forte dell'assenza. Qualcosa che neanche una pandemia mondiale può spezzare ed è quel legame formidabile, libero e infrangibile, dolce e profondo, che tiene insieme nonna e nipote.

Tra tutti gli amori esposti ai venti della vita forse questo è quello più capace di portare pazienza, tacere e durare.

Per questo ho chiesto a mia figlia di lasciare su carta la memoria dei suoi nonni filtrata dal cuore.

Per ricordare chi siamo e quali radici ci sorreggono. Per dire ai nipoti di essere indulgenti col passato e ai vecchi di tenere per mano quei brandelli di futuro che camminano sulle gambe dei loro nipoti.

Ricordo bene quanto dolorosa fu, a marzo 2020, quella frattura sociale e generazionale così profonda, così inedita: ne scrivo perché nulla venga rimosso dal ricordo collettivo, per dare un nome a chi se n'è andato e per ritrovare la voce di chi resta.

Caterina ha avuto il privilegio di nonni presenti, generosi, diversi e complementari. E io rivedo mia madre nelle sue parole, quella mamma-nonna titanica e rivoluzionaria che non ha conosciuto il Covid. Che se n'è andata tenendoci per mano. Che ci ha lasciato un'eredità indistruttibile di forza e libertà.

Mamma, questa lettera è per te. E per me, che ancora ti sento nell'aria.

«Da bambina, quando mi chiedevano chi fossero le persone più importanti per me, quelle che più ammiravo o quelle con cui stavo meglio, la mia risposta era sempre la stessa: i miei nonni. Mi veniva naturale rispondere così, non avevo bisogno di riflettere, non ero mai indecisa. I nonni innescavano in me un ricordo di felicità pura, di stimolo, di conforto. Si allocavano in una routine ben precisa che era per me essenziale, mi definiva e al contempo era una scoperta continua. I nonni per me erano degli dèi. Intoccabili. Eppure, il privilegio di poterli conoscere intimamente, persino nei loro difetti, che ai miei occhi erano pochissimi e insignificanti, pesava su di me come un onore unico. Crescendo, hanno significato molto di più. Negli anni turbolenti della prima adolescenza mia nonna paterna era un'evasione dalla vita a casa. Era anche la persona più buona e paziente che conoscevo: spesso le chiedevo consigli perché la vedevo come un esempio di totale purezza, di tutte le cose buone e giuste. La nonna materna invece era un modello di vita, la mia eroina: pensavo quotidianamente che avrei voluto essere come lei da grande. Libera, aperta, colta, intelligente, magnetica. La copiavo in tutto: sentivo la musica di cui parlava, vedevo i film che l'avevano segnata, leggevo di epoche storiche che aveva vissuto. Il nonno era, ed è tutt'ora, un insegnante nel vero senso della parola: conosce minuziosamente qualunque ambito culturale, fatto storico, ma anche cose meravigliosamente frivole. Il nonno mi ha fatto innamorare della lettura e dello studio: a ogni Natale mi ha consigliato libri da comprare, quelli che gli sembravano più adatti per i cambiamenti che stavo attraversando. È una sorta di mappa per come navigare la vita.

Poi, vennero gli anni della malattia. Prima nonna Annamaria: leucemia. Avevo quindici anni. All'inizio, come spesso accade, non riuscivo a concepirlo: l'estate eravamo andate a Capri io e lei, come ogni anno, ed era la solita nonna: vitale ed energica. Nella mia mente la fragilità, quella vera, era solamente un concetto, una nozione che non prendeva mai forma. E invece, passati pochi giorni, quell'immagine sembrò come crollare. Si trasferì nella mia camera a Roma per essere seguita al Gemelli quasi settimanalmente. Per me fu un risvolto dolce-amaro: stava male, ma almeno stava con me. Tutti i giorni dopo scuola tornavo a casa e le raccontavo cosa avevo studiato quel giorno. Ci lanciavamo in conversazioni interminabili sulla storia, sulla letteratura... Eppure, più lei mi donava intellettualmente, più il suo corpo sembrava deteriorare. Aveva dei lividi tremendi dappertutto. Le chiedevo: "Nonna, ti fanno male?". E lei, guerriera, mi diceva di no, che provava poco dolore. Guerriera, appunto. Questa sua natura battagliera e la sua perenne vitalità, nonché la lucidità mentale, mi rendevano impossibile pensare che non sarebbe guarita. Poi tornò a Napoli, e io iniziai a sentire la mancanza della quotidianità con lei. Il sentirla lontana, il non poterla vedere con costanza rendeva più reale il mostro della malattia.

Quell'estate cercai di "distrarmi", come consigliato dai miei genitori: ero piccola, non dovevo passare l'estate chiusa in camera con la nonna. A luglio la situazione peggiorò, e, forse l'ultima settimana, andai a trovarla con mamma. A tratti non ragionava bene: questo per me era un segnale chiaro. Mia nonna era soprattutto mente: più quella svaniva più sembrava svanire anche lei. Eppure, l'ultima sera che passammo insieme, ebbe un istante di chiarezza. Lei si girò verso di me e mi fece un discorso, tipico della nonna, di come sarei dovuta diventare, a cosa avrei dovuto puntare. Uno di quei discorsi che si vedono nei film.

Pochi giorni dopo se n'era andata. Non avevo mai sofferto un lutto reale. Era lacerante i primi giorni. I pochi momenti di conforto, momenti che ancora oggi ricordo con amore, erano il contatto, soprattutto fisico, con le persone che amo: vedere la mia famiglia in chiesa, così unita nel dolore. Mio fratello che parlava e piangeva sull'altare. L'altra nonna che mi abbracciava e si scioglieva per me. I pranzi al ristorante per ritrovare una sembianza di normalità. Mia madre, anche lei guerriera, che si faceva forza e si occupava di tutto. Inutile dirlo: per mesi mi sono sentita persa, ma allo stesso tempo mi sentivo me stessa nel dolore. Sentivo l'appartenenza: l'importanza di ciò che era stata, e che continua a essere, mia nonna per me. Percepivo quasi fisicamente le radici che mi legavano a mia madre, ai miei fratelli, che in quei momenti provavano esattamente lo stesso dolore.

Poco dopo arrivò la malattia di nonna Marinella. Ugualmente debilitante, ugualmente sofferente, ugualmente cupa, ma in qualche modo importante. Era un tunnel. Due anni passati a tenere mani in ospedali, a portare fiori quando si tornava a casa. Pure nonna Marinella all'inizio mantenne lucidità, nonostante dimagrisse visibilmente di giorno in giorno, diventava sempre più piccola, si racchiudeva in se stessa. Iniziarono a cadere i capelli. Quei capelli che avevo pettinato fin da bambina, che avevo visto cambiare colore negli anni. Eppure, la nonna mi sembrava sempre bellissima, solare, sorridente, mai trascurata. Avevamo le nostre solite conversazioni lunghe ore, le raccontavo tutto. Quell'estate sembrava si fosse ripresa. Venne con noi al mare, organizzava cene per vari ospiti, potava gli alberi: aveva ritrovato la sua energia vitale. Quando arrivò l'autunno, la speranza iniziò a svanire. Piano piano diventava sempre meno autosufficiente. Mia nonna, che si era sempre presa cura degli altri, a cui nessuno aveva mai badato da quando era diventata donna. Quando stavamo insieme io e lei, era felice, nonostante tutto. Eppure, stavolta me lo sentivo. Il pensiero di perderla m'inquietava profondamente, tanto che facevo fatica a starle accanto più la situazione peggiorava. Riconoscevo l'importanza di quei momenti, che mi sarebbero rimasti dentro. E poi, anche lei a gennaio se ne andò. Il suo lutto lo misi come in pausa. Avevo la maturità, dovevo studiare, rimanere occupata forse anche un po' come meccanismo di difesa. Verso aprile, però, venni sopraffatta. Ero costantemente triste, mi sentivo un buco perenne nel petto, eppure non riuscivo a capire il perché all'inizio. Questo lutto era ben diverso da quello per nonna Annamaria, bestia lacerante. Questo era silenzioso e insistente, mi stava seduto nello stomaco, non mi abbandonava mai, nemmeno nei momenti allegri. Ma poi passava il tempo, la vita andava avanti a un passo sempre veloce. Finivo il liceo, veniva l'ultima estate italiana...

Joan Didion, un faro del giornalismo e della scrittura americana, caratterizza il lutto come un processo continuo, che arriva a ondate, sempre meno frequenti ma sempre presenti; il lutto come un periodo ben stabilito in cui si sta male e poi, come per magia, si sta bene l'ho sempre visto come una finzione. Ora mi guardo indietro, agli anni passati da queste due morti così sradicanti, e se guardo a tutte le volte che ne ho sofferto, mi sembra passato un tempo infinito. Eppure mi ricordo le nonne come se le avessi viste un paio di giorni fa. Mi ricordo sia le nonne che erano, quelle vere, quelle sane, eleganti, eloquenti. Sia le nonne che divennero: quelle nei letti d'ospedale, fragili e vulnerabili come bambine, con occhi brillanti ancora pieni di vita, ma con corpi sempre più pallidi, ossuti, quasi friabili. Quest'ambivalenza rese il lutto una sensazione reale, palpabile. Non ci fu mai un risentimento: le avevo vissute appieno in tutti i momenti della mia vita. E non ci fu nemmeno un momento in cui tutto ciò mi sembrasse finto: avevo visto il deterioramento dei corpi, della mente, della persona. Eppure, ciò non rese il lutto meno costante. Non vedo il lutto come un qualcosa che si supera. Se lo s'intende come periodo di ripresa dopo la morte di qualcuno che si è amato, forse sì. Ma come sofferenza, come nostalgia di quella persona, non si supera mai.

La sensazione di mancanza che si prova in quei momenti è travolgente. Una mancanza fisica, come se qualcosa mi fosse stato staccato da dentro. Ci saranno sempre le sere quando parlando con loro verrò sopraffatta dalla consapevolezza di non poter sentire la loro voce, i loro consigli, di non poterle vivere più. Ondate. Inaspettate e impetuose. Vanno e vengono. Forse con meno frequenza, ma sono sempre lì. Finché c'è amore, le ondate non abbandonano. E in fin dei conti fanno anche compagnia. Mi ricordano la meraviglia che sono stati quei rapporti, e mi ricordano che le mie nonne erano reali, carne e ossa, in certi momenti mie. E le ondate mi fanno anche capire che forse è giusto così. Nonostante il dolore, nonostante la mancanza. Vorrei solo poterle toccare, poterci chiacchierare per un paio di minuti. Le ondate mi ricordano anche quanto avevano sofferto in quegli anni. Le notti passate sveglie, la lenta perdita di controllo del proprio corpo. La malattia non era giusta. La morte forse sì. Era quiete. Quiete da qualcosa che non si meritavano, da qualcosa in cui, come mi dissero entrambe, si stavano perdendo totalmente. Più spesso mi piace ricordarle com'erano nei momenti belli della mia vita: ben vestite, pettinate, allegre, piene d'amore. Ma il poterle ricordare anche da malate rende il mio lutto sano, lo giustifica. Mi ha permesso di lasciar andare la rabbia contro un mostro che esiste in tutte le nostre vite e che ci fa a pezzi, ma che ci insegna anche ad amare, a vivere, a essere grati.»

Così siamo arrivati alla fine del nostro viaggio. Un viaggio che spero vi abbia trasformato un po' ma che di certo ha trasformato me. E ci siamo arrivati con un gran bagaglio di parole. Parole che restano con noi...

Lettere che sono voci, tante voci, un coro emozionante di donne.

E non è un lamento, è un canto.

In questi lunghi mesi ho avuto il privilegio di leggere e ascoltare il suono del nostro disagio, la ballata triste del nostro smarrimento. In quel suono ci sono le storie individuali e c'è il senso della comunità, la nuova fatica di riconoscere se stessi e il panico inedito dell'appartenenza.

E c'è qualcosa che, come dice Caterina, «ci insegna anche ad amare, a vivere, a essere grati».

Ed è a mia figlia, e alle tante ragazze come lei, che voglio consegnare questo bagaglio prezioso, leggero dei nostri sogni e pesante dei nostri dolori.

Un bagaglio che le porterà lontano, se solo sapranno riscoprire il senso profondo della sorellanza, se sapranno guardarsi l'un l'altra senza sospetto, se sapranno camminare controvento non dimenticando mai la meta. Se capiranno che ogni battaglia vinta per una di loro sarà una battaglia vinta per tutte. Se riusciranno a tenere ben tesi i fili d'acciaio che le loro madri e le loro nonne hanno filato, tessendoci sopra il nuovo, resistente tessuto di un universo femminile finalmente unito.

Diciamoci la verità, non pretendo certo che le donne possano da sole raddrizzare il legno storto dell'umanità, cancellare le violenze, riportare equità e giustizia nel campo di battaglia del lavoro, o ridare fiato e visione a una politica miope e ripiegata su se stessa, né certamente curare tutte le ferite che la pandemia ci lascerà sulla pelle.

Sono certa però che, come ci suggerisce in queste pagine Ilaria Capua, il lieto fine di questa lunga storia al femminile lo possiamo scrivere solo noi, tenendoci per mano, aiutandoci le une con le altre a rialzarci quando inciampiamo nell'accidentato percorso della vita.

E tenendo a mente che al principe azzurro, tanto desiderato e a volte persino ottenuto, sopravvivono sempre le sorelle. Quelle che hanno idee diverse ma radici comuni, che condividono con noi le emozioni, il riso e il pianto, che sanno da che parte soffia il vento di scirocco. Che si prendono il centro della scena e non recitano a soggetto. E che si lasciano scaldare il cuore, nonostante tutto, per un autentico «vissero felici e contente».

Ringraziamenti

Se siete qui, è perché queste pagine sono abitate da persone.

Alcune le avete lette, altre sono come la mano invisibile che apre il sipario.

E allora io voglio dire grazie. A molte donne ma non solo...

A Luisa Sacchi, editrice attenta e sensibile: solo lei poteva convincermi a fare questo viaggio.

A Carlo Brioschi per la collaborazione e la cura costante.

A Melania Petriello sorella nel lavoro e nella scrittura di questo libro corale e condiviso.

A Ludovica Ciriello giovane allieva onnipresente a cui spero di aver insegnato quanto basta per volare.

A Celeste Grandi angelo custode senza la quale mi perderei spesso.

A Paolo Posteraro che c'è sempre anche quando non c'è.

Alla mia squadra dell'*Aria che tira* con cui condivido la fatica e la bellezza di questo lavoro.

A Mimmo De Masi che mi incoraggia e mi sostiene nelle mie imprese praticamente da quando ero alle elementari.

A mia madre che mi ha sempre ispirata e continua a farlo da ovunque si trovi.

Ai miei figli che sono la fonte di ogni mia speranza per il futuro.

A Marco senza il quale non sarei la donna felice che sono.

A tutte le donne, dalla prima all'ultima, che mi hanno donato, attraverso le storie, un pezzo della loro vita.

E su tutte, all'immensa Lilliana Segre. La sua amicizia è come una mano che indica la strada giusta.

Indice

Finito di stampare nel mese di novembre 2021
per conto di RCS MediaGroup S.p.A.
da ❧ Grafica Veneta S.p.A., via Malcanton 2, Trebaseleghe (PD)
Printed in Italy